Grandes ideias para pequenos cientistas

Desenvolvido por
Anna Gould, Hannah Ahmed, Matthew Preston, Zoe Wray, Holly Lamont e Karen Tomlins

Texto de
Minna Lacey, Dr. Lisa Gillespie e Lucy Bowman

Tradução: **Izabela Köenig**
Edição: **Matilde dos Santos, Camilie Pacheco Schmoelz, Fabíola M. de Abreu e Marília Köenig**

Ilustrações
Alex Walker, Giulia Olivares, Francesca Carabelli e Binny Talib

Consultor técnico:
Dr. Steven Chapman

Sobre este livro

Este livro está repleto de atividades científicas e experiências que você pode fazer em casa. Todas têm instruções que mostram o que fazer, explicando a ciência por trás do experimento.

Cada atividade é numerada.

Estas caixas explicam o que acontece em cada experiência e a ciência por trás disso.

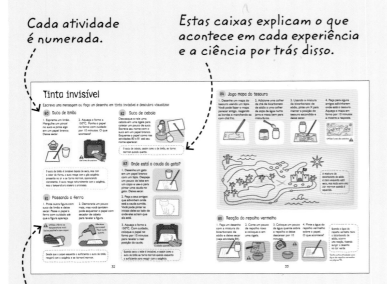

Símbolos de alerta indicam quando você precisa tomar cuidado extra.

As atividades usam itens do dia-a-dia, como garrafas plásticas e caixas de papelão. Você também vai precisar de materiais como papel, caneta e barbante.

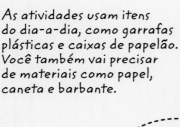

Estão contidos aqui todos os tipos de atividade, desde experimentos com estática até tinta invisível.

Ciência em segurança

Sempre tome cuidado extra com as coisas quentes ou afiadas e nunca coloque nada na boca a menos que as instruções recomendem. Se você precisar derramar água fervente, usar um forno quente ou uma faca afiada, peça ajuda de um adulto.

Índice

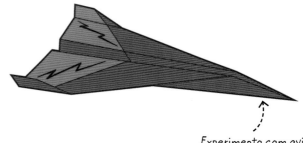

Experimento com aviões de papel na página 6.

Descubra como fazer sua própria geleca na página 49.

Compare estilos de paraquedas na página 126.

Teste ácidos utilizando água do repolho na página 90.

Aprenda sobre a vida selvagem na página 56.

Acidentes da ciência

Não desanime se as coisas não vão do jeito que você espera nas suas experiências científicas. Algumas das mais importantes descobertas da ciência aconteceram por acidente.

Descubra como tingir folhas na página 125.

Corante, óleo e água

Descubra como algumas substâncias se misturam e outras não, e os incríveis efeitos criados a partir de tinta à base de água, corante alimentar, óleo e água.

1 Gotas de corante

Despeje um pouco de óleo vegetal em um copo. Adicione algumas gotas de corante alimentar e veja o que acontece.

Corante alimentar

Óleo vegetal

Cada gota de corante mantém sua forma. Pois não se mistura com o óleo e por isso não se espalha.

2 Mantendo a forma

Usando uma colher, empurre as gotas de corante suavemente no óleo e veja o que acontece.

As gotas de corante afundam pois são mais densas que o óleo (consulte "Densidade" na página 5). As gotas e o óleo não se misturam.

3 Explosão de gotas

Encha um copo com água, adicione um pouco de óleo vegetal e deixe repousar. Em seguida, ponha algumas gotas de corante alimentar e veja o que acontece.

Mova as gotas com uma colher para afundá-las mais rapidamente.

Óleo

Água

As gotas de corante não perdem o formato...

...e formam lindas "fitas" na água – como podemos ver na atividade 3.

O efeito é ainda mais impressionante se você usar tinta, como mostrado aqui.

As gotas de corante alimentar formam uma bola que se afunda através do óleo. Quando tocam a água, se misturam a ela e formam fitas coloridas rodopiantes que continuam a se misturar até formar uma cor.

Densidade

Tudo no mundo é formado de partículas muito pequenas. Densidade é o quão pesadas e espalhadas estas partículas são em uma substância. Se misturarmos dois líquidos de diferentes densidades, o menos denso flutua sobre o mais denso. Por exemplo, óleo flutua sobre a água.

4 Adicione detergente

Adicione um pouco de corante alimentar em meio copo de água. Despeje o óleo no copo e deixe repousar. Em seguida, ponha algumas gotas de detergente líquido no copo e observe.

Para que o efeito dure mais, continue adicionando gotas de detergente.

Óleo

Detergente

Corante alimentar e água

Gotas de óleo

As gotas de detergente vão para o fundo do copo, empurrando gotas de óleo logo abaixo delas. Mas o óleo é menos denso que o detergente e a água, de modo que as gotas de óleo escapam e voltam a flutuar sobre a superfície novamente.

5 Misturando tudo

Repita o último experimento, mas desta vez mexa tudo com uma colher. Observe então o que acontece.

O detergente é atraído para a água e o óleo, o que permite que eles se misturem. A mistura forma uma cor uniforme à medida que o corante se espalha.

6 Corante e leite

1. Despeje um pouco de leite em um pires e adicione algumas gotas de corante alimentar ou tinta colorida.

2. Agora, mergulhe um cotonete em detergente líquido e coloque-o no meio do leite. O que acontece?

Remova o cotonete quando o leite e o corante alimentar começarem a se misturar.

Esse padrão foi criado com apenas uma cor de tinta.

O corante não se mistura bem com o leite, mas quando o detergente é adicionado, ele é atraído tanto para o leite quanto para o corante, permitindo que eles se misturem mais rapidamente.

Aviões de papel

Faça alguns aviões de papel e descubra o que os faz voar.

7 Como fazer o avião:

1. Dobre um retângulo de papel ao meio.

Dobre ao meio.

2. Dobre o canto direito para cima.

3. Dobre mais uma vez até chegar ao meio assim:

4. Em seguida, dobre novamente até o centro.

5. Vire a dobradura.

6. Repita os passos 2, 3 e 4 deste lado.

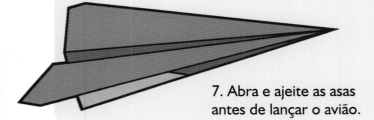

7. Abra e ajeite as asas antes de lançar o avião.

8 Apontar para cima e para baixo

Tente apontar o avião ligeiramente para cima ou para baixo quando for lançá-lo. Como ele voa?

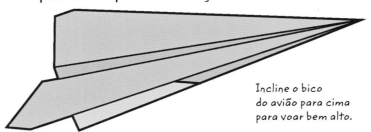

Incline o bico do avião para cima para voar bem alto.

Quando você lança um avião de papel para a frente, o ar flui em torno de suas asas e cria sustentação. Se você mudar o ângulo de lançamento, o fluxo de ar muda, ajudando o avião a voar mais ou fazendo-o cair mais rápido.

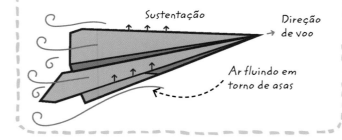

Sustentação

Direção de voo

Ar fluindo em torno de asas

9 Adicione um clipe de papel

Coloque um clipe de papel no bico de seu avião. Isso muda a forma como o avião plana?

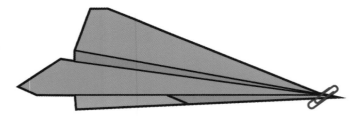

O peso extra do clipe dá mais força ao avião, ajudando-o a voar mais longe.

10 Dobre as pontas das asas

Dobre as pontas das asas antes de lançá-lo.
Em seguida, tente dobrá-las para baixo.
Ele voa de forma diferente?

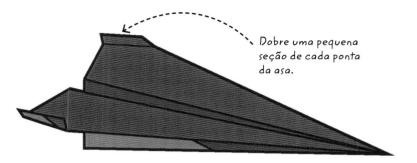

Dobre uma pequena
seção de cada ponta
da asa.

11 Experimento com direção

Aponte a ponta de uma asa para cima
e a outra para baixo. Em qual direção
o avião voa? Agora tente ao contrário.

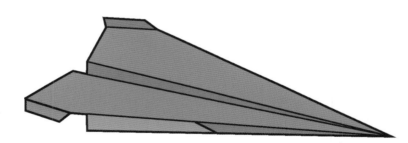

As pontas das asas mudam a forma com que o ar passa
pelas asas. Quando as pontas das asas apontam para cima,
o avião se inclina para cima e vice-versa. Se uma aponta
para cima e outra aponta para baixo, o avião faz uma curva.

Dobrar a ponta esquerda para
cima e a direita para baixo leva
o avião para a esquerda.

Dobrar a ponta direita
para cima e a esquerda
para baixo leva o avião
para a direita.

12 Faça um planador

1. Dobre um
retângulo de papel
ao meio, no sentido
do comprimento e da
largura. Em seguida,
desdobre-o.

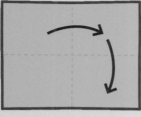

2. Dobre a parte
de cima, como mostra
a figura ao lado.

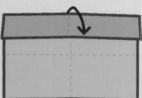

3. Dobre ambos
os cantos superiores
para que eles se
encontrem no meio.

4. Dobre a parte
superior para baixo
de novo, desse jeito.

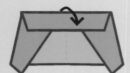

5. Vire o avião e
dobre-o ao meio.

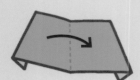

6. Dobre ambas
as asas, conforme
a figura.

Este planador tem asas largas.
Quanto maior as asas, mais ar
sustenta o avião, fazendo com
que ele fique por mais tempo
no ar. Faça alguns testes
e compare os aviões.

Papel, madeira e água

Faça estas experiências e veja como os diferentes tipos de papel absorvem água.

13 Faça uma flor de papel

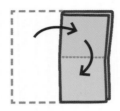  

Não corte esses dois lados.

1. Dobre um quadrado de papel ao meio. Em seguida, dobre-o ao meio novamente, assim.

2. Desenhe uma pétala no quadrado e recorte-a. Abra a flor.

3. Dobre cada pétala ao meio. Despeje um pouco de água numa tigela e coloque a flor na água.

4. Assista as pétalas se abrindo lentamente à medida que o papel absorve a água.

> O papel é feito de minúsculas fibras compactadas. Como as fibras absorvem a água, elas se expandem, e assim, abrem as pétalas.

Será que a quantidade de pétalas faz diferença nessa experiência? Faça o teste!

14 Flor de papel-toalha

Repita a atividade 13 usando papel-toalha para fazer sua flor.

> O papel-toalha é feito de finas camadas de papel. Ele absorve a água tão rapidamente que a flor afunda antes de se abrir.

15 Flor de cartolina

Repita a atividade 13, mas agora com um pedaço de cartolina. Quanto tempo a flor leva para se abrir?

Será que o formato das pétalas influenciam no tempo que a flor leva para abrir? Faça o teste e descubra.

A cartolina é mais grossa que o papel, pois contém mais fibras. Quanto mais fibras tiver o papel, mais tempo ele leva para absorver a água, e assim para a flor abrir. Por este motivo, as flores de pétalas maiores levam mais tempo para se abrirem.

16 De um copo para outro

1. Enrole uma folha de papel-toalha e coloque uma das pontas em um copo vazio. Encha um copo com água até a metade e coloque duas gotas de corante.

2. Coloque a outra extremidade do papel-toalha no copo de água e deixe por algumas horas. O que acontece?

O papel de cozinha absorve a água até que o papel esteja encharcado e a água começa a passar para o copo vazio. Se você esperar tempo suficiente, os dois copos terão quase a mesma quantidade de água.

17 Faça uma estrela de madeira

1. Dobre cinco palitos de madeira ao meio, sem deixar as duas metades se separarem. Arrume-os conforme a figura ao lado em um prato. Adicione algumas gotas de água.

2. Observe o que acontece quando os palitos absorvem a água.

Palitos são feitos de fibras de madeira. À medida que absorvem a água, se expandem e empurram seus "braços" até que encostem no palito vizinho. Isso nos dá uma forma de estrela.

Espuma efervescente

Descubra o que o bicarbonato de sódio faz quando combinado a diferentes líquidos.

18 Água quente

Com cuidado, despeje um pouco de água recém-fervida em uma tigela refratária. Misture uma colher de chá de bicarbonato de sódio. O que acontece?

19 Água fria

Despeje um pouco de água fria em uma tigela, em seguida, adicione uma colher de chá de bicarbonato de sódio. Fique atento para ver se algo acontece.

O bicarbonato de sódio borbulha quando se mistura com a água quente pois o calor gera uma reação que desprende bolhas de gás dióxido de carbono (é por isso que o fermento em pó – que contém bicarbonato de sódio – é usado para fazer bolos, pois faz a mistura crescer quando o calor do forno ativa o gás na massa). O efeito não é o mesmo com água fria.

20 Suco de limão ou vinagre

1. Coloque uma tigela de vidro sobre uma bandeja. Encha-a até a metade com suco de limão ou vinagre.

2. Polvilhe uma colher de chá cheia de bicarbonato de sódio sobre o líquido e observe o que acontece.

O vinagre e o suco de limão são ácidos*. Quando você os mistura com bicarbonato de sódio, eles reagem intensamente. Isso produz muitas bolhas de gás dióxido de carbono, o que torna mistura espumante.

21 Espuma efervescente

1. Repita o passo 1 da atividade 20, em seguida, misture um pouco de detergente no suco de limão ou vinagre.

2. Adicione algumas gotas de corante alimentar e polvilhe uma colher de bicarbonato de sódio sobre o líquido. O que acontece?

O detergente líquido faz com que a mistura espume mais, pois ele retém as bolhas de gás geradas pela reação. O corante alimentar ajuda a mostrar este processo mais claramente.

*Você pode descobrir mais sobre os ácidos nas páginas 90-91.

22 Espuma legal

Faça a mistura da atividade 21 em recipientes de diferentes formatos e veja como a espuma flui de maneira diferente de cada um deles.

Tente variar as quantidades dos ingredientes para ver o quanto de espuma você consegue.

23 Chiclete efervescente

Compre um chiclete com recheio efervescente e coloque-o em sua boca. Você consegue senti-lo borbulhando?

O chiclete efervescente contém uma mistura de bicarbonato de sódio e ácido cítrico em pó. Quando o pó fica molhado em sua boca, os ingredientes começam a reagir, fazendo com que as bolhas de gás dióxido de carbono gerem um formigamento na sua língua.

Móbiles em equilíbrio

Aprenda a fazer vários modelos de móbiles e descubra como equilibrá-los.

24 Móbile de régua

Use massinha para fazer duas bolas de tamanhos diferentes. Amarre um pedaço de barbante em volta de cada uma. Pendure uma bolinha em cada ponta de uma régua e pendure a régua pelo centro. Você consegue equilibrá-la movendo apenas a bola maior?

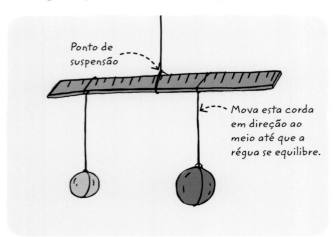

Ponto de suspensão

Mova esta corda em direção ao meio até que a régua se equilibre.

25 Faça uma cruz

Cruze duas varetas e use massinha adesiva para mantê-las no lugar. Amarre um pedaço de barbante no meio e pendure aviões de papel. E então... Você conseguiu equilibrar tudinho?

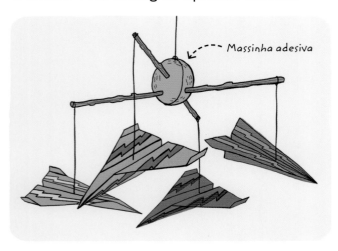

Massinha adesiva

26 Móbile de clipes de papel

Prenda desenhos na ponta de várias correntes de clipes. Pendure as correntes em canudos. Use mais correntes para pendurar os canudos e fazer um móbile. Você consegue equilibrar tudo isso? Quantos níveis você pode acrescentar?

Use um lápis para fazer um furo nos desenhos de papel.

27 Móbile de cabide

Prenda talheres e outros utensílios de cozinha em um cabide e pendure-o. Você consegue ajustar a distância entre os barbantes para que o cabide se equilibre?

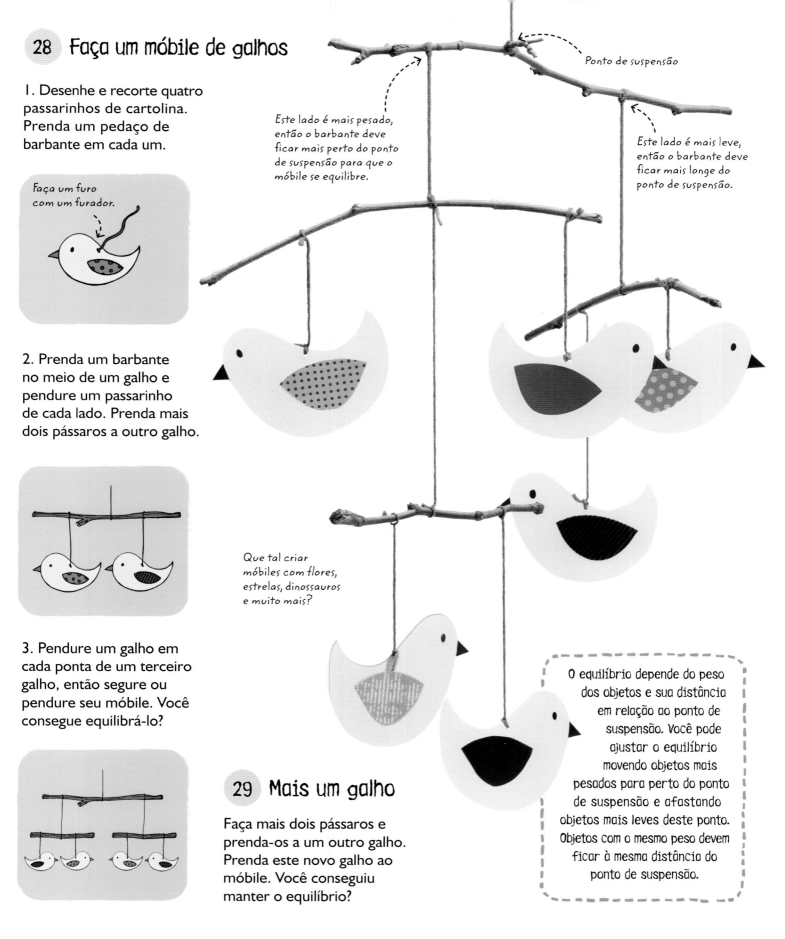

28 Faça um móbile de galhos

1. Desenhe e recorte quatro passarinhos de cartolina. Prenda um pedaço de barbante em cada um.

Faça um furo com um furador.

2. Prenda um barbante no meio de um galho e pendure um passarinho de cada lado. Prenda mais dois pássaros a outro galho.

3. Pendure um galho em cada ponta de um terceiro galho, então segure ou pendure seu móbile. Você consegue equilibrá-lo?

29 Mais um galho

Faça mais dois pássaros e prenda-os a um outro galho. Prenda este novo galho ao móbile. Você conseguiu manter o equilíbrio?

Ponto de suspensão

Este lado é mais pesado, então o barbante deve ficar mais perto do ponto de suspensão para que o móbile se equilibre.

Este lado é mais leve, então o barbante deve ficar mais longe do ponto de suspensão.

Que tal criar móbiles com flores, estrelas, dinossauros e muito mais?

O equilíbrio depende do peso dos objetos e sua distância em relação ao ponto de suspensão. Você pode ajustar o equilíbrio movendo objetos mais pesados para perto do ponto de suspensão e afastando objetos mais leves deste ponto. Objetos com o mesmo peso devem ficar à mesma distância do ponto de suspensão.

Testes de atrito

Quando esfregamos dois objetos, uma força que diminui a velocidade deles é gerada. Esta força é chamada atrito.

30 Corrida de bolinhas de gude

1. Desenhe três vezes o contorno de uma caixa de sapatos sobre uma cartolina para fazer as rampas.

2. Estenda as linhas do contorno para fazer as rampas um pouco maiores que a caixa. Recorte.

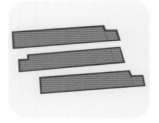 

3. Corte um dos cantos das rampas para a bolinha passar.

4. Com cuidado, faça um furo em cima da caixa para as bolinhas de gude.

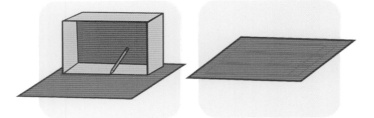

5. Posicione as rampas dentro da caixa conforme a figura abaixo. Ajuste as rampas para que elas se inclinem para a parte de trás da caixa.

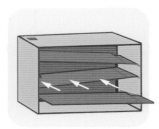

Cole palitos de picolé embaixo das rampas para servirem de suporte.

6. Coloque uma bolinha de gude pelo furo e veja ela rolar pelas rampas.

Furo para colocar a bolinha de gude

A parte mais alta da rampa deve ser aquela onde a bolinha primeiro toca, assim ela segue rolando para baixo.

Se você não tiver palitos de picolé, use tiras de papelão.

A inclinação das rampas faz com que a bolinha desça até o fundo da caixa. À medida que ela rola, o atrito é criado entre a bolinha e a rampa, o que faz com que a velocidade da bolinha diminua.

31 Papel alumínio

Forre uma rampa com papel alumínio para formar uma superfície lisa. Como isso afeta a velocidade da bolinha?

A superfície lisa do papel alumínio diminui o atrito entre a rampa e a bolinha de gude. Isso ajuda a bolinha a descer mais rapidamente.

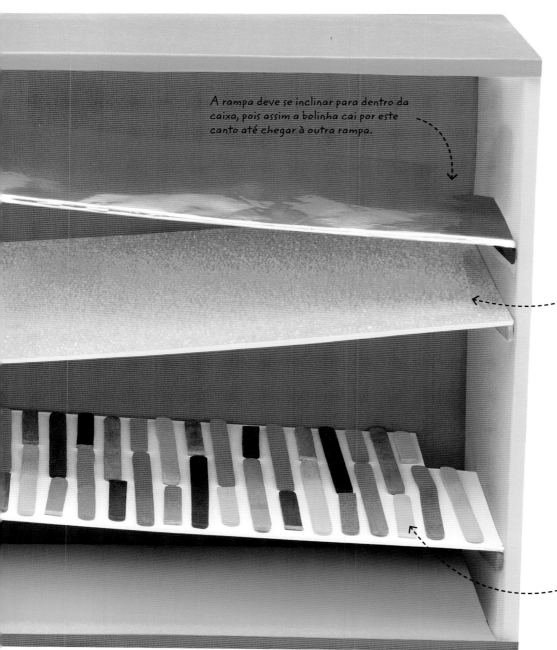

A rampa deve se inclinar para dentro da caixa, pois assim a bolinha cai por este canto até chegar à outra rampa.

32 Lixa de papel

Cole uma lixa em uma das rampas para obter uma superfície áspera. A bolinha desce mais rápido?

A superfície áspera aumenta o atrito, fazendo com que a bolinha de gude role mais devagar do que antes.

33 Palitos de picolé

Cole palitos de picolé em uma das rampas para obter uma superfície ainda mais irregular. O que acontece com a velocidade da bolinha?

Uma superfície muito áspera, cheia de obstáculos, aumenta muito o atrito e diminui ainda mais a velocidade da bolinha.

34 Mais ideias

Teste os efeitos do atrito e velocidade usando materiais como papel de seda, plástico-bolha, tecido e papel de presente.

35 Cronometrando

Faça o teste com três rampas lisas, e depois com três rampas ásperas. Conte quanto tempo a bolinha leva para chegar ao fundo da caixa cada vez.

Ilusões de óptica

Veja como sua visão, assim como seu cérebro,
podem ser enganados por estas ilusões de óptica.

36 Claro ou escuro?

Qual dos lados da barra verde parece mais escura?

Tampe todo o quadrado menos a barra.
O que você vê agora?

A barra é toda da mesma cor. Mas quando está próxima de um tom mais claro, ela parece mais escura e vice-versa. O seu cérebro julga a cor da barra dependendo da cor que a rodeia.

37 O que você vê?

Um vaso...   ... ou dois rostos?

Ambas as figuras existem ao mesmo tempo, mas seus olhos só podem focar em uma de cada vez. Se você vê os dois rostos azuis, não vê o vaso muito bem; se você se concentra no vaso, os rostos são apenas um contorno azul.

38 Qual é a mais longa?

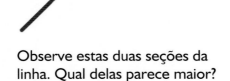

Observe estas duas seções da linha. Qual delas parece maior?

Meça cada uma com uma régua. Qual é a mais longa?

Ambas seções da linha são exatamente do mesmo tamanho, mas aquela contida entre as setas que apontam para fora parece mais longa. Seu cérebro julga coisas em relação ao contexto e é enganado pela direção das setas.

39 Quadrados esquisitos

Será que estes quadrados têm lados curvos ou retos? Use uma régua para verificar.

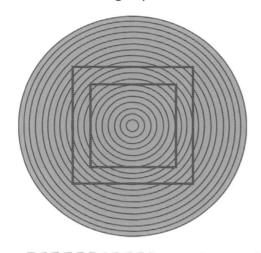

Os quadrados têm lados retos, mas as linhas curvas atrás dos quadrados enganam seu cérebro, que passa a julgar os lados do quadrado como curvos também.

40 Pontos-fantasma

Mova seus olhos pelas linhas brancas da figura. Você consegue ver pontos entre os quadrados? Agora mire em um desses pontos. O que acontece?

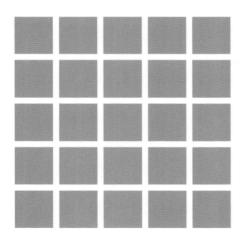

Quando você move os olhos pela figura, seu cérebro tenta juntar as imagens que estão separadas. É por isso que você passa a enxergar pontos-fantasma. Quando seus olhos param de se mover e focam em um ponto, este ponto desaparece.

41 Faltando pedaços

1. Observe esta figura. Você consegue ver um triângulo bem no meio?

2. Agora observe esta figura. Você vê um coração?

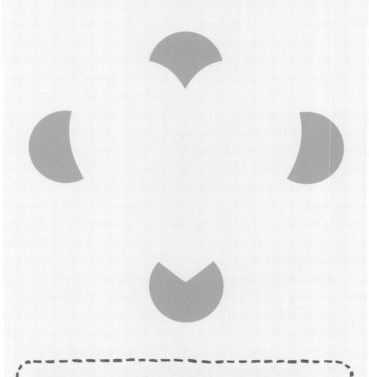

Os formatos de triângulo ou coração não existem nesta figura. Seu cérebro vê os cantos de onde estes formatos poderiam encaixar e imagina o resto.

Gelo

Faça estas experiências e descubra como o gelo derrete.

42 Corrida derretida

Coloque três cubos de gelo em um prato. Ponha açúcar em um, sal em outro e no último, pimenta. Qual deles derrete mais rápido?

O cubo que recebeu sal vai derreter mais rápido. É por isso que em países com muita neve, as pessoas jogam sal nas ruas para derreter a neve. Já a pimenta não tem muito efeito, então, o cubo que recebeu pimenta será o último a derreter por completo. E o que acontece com o cubo que recebeu açúcar?

O ponto de fusão da água é 0°C. É nessa temperatura que ela passa do estado sólido (gelo) para o estado líquido.

43 Veja como funciona

1. Encha um pote plástico com água e deixe-o no congelador de um dia para o outro.

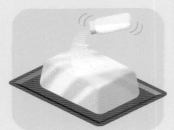

2. Desenforme o bloco de gelo sobre uma bandeja e espalhe uma fina camada de sal sobre ele.

3. Adicione algumas gotas de tinta sobre o gelo. O que acontece?

Você pode usar corante alimentar ao invés de tinta.

O sal diminui o ponto de fusão. As partes do gelo que receberam a camada de sal derretem mais rápido do que o restante, criando fissuras. A tinta flui pelas fendas e nos ajuda a ver o que está acontecendo.

44 O gelo na luz

Faça um fino bloco de gelo despejando uma pequena quantidade de água em um pote redondo. Espalhe sal e tinta (ou corante), e segure-o contra a luz para ver as cores brilhando.

O gelo com tinta é fino o suficiente para que a luz passe por ele, como um vitral.

45 Cortando o gelo

1. Pegue 20cm de um fio de nylon resistente e amarre-o no meio de dois lápis, como na figura ao lado.

2. Coloque um cubo de gelo sobre uma superfície e ponha o centro do fio sobre o gelo. Empurre os lápis para baixo para que o fio pressione firmemente o gelo.

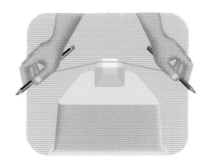

3. Observe o fio à medida que ele vai descendo. Ele deve se mover aos poucos através do gelo. Veja se você consegue cortar o cubo em dois.

A pressão do fio diminui o ponto de fusão. Isso ajuda o gelo a derreter, permitindo que o fio penetre no gelo. A água acima do fio permanece gelada o suficiente para tornar a congelar, então o cubo se mantém em um pedaço.

46 Pingente de gelo

1. Bote um cubo de gelo em um prato. Mergulhe um pedaço de barbante na água e coloque-o sobre o gelo.

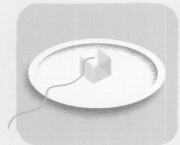

2. Espalhe meia colher de chá de sal sobre o cubo de gelo. Conte até vinte, depois tente levantar o barbante. O que acontece?

O sal ajuda o gelo a derreter e o barbante se move ligeiramente para dentro do cubo. Mas o gelo ainda está suficientemente frio para congelar e grudar o barbante, por isso você consegue levantá-lo.

Pipas

Veja o passo a passo e aprenda como fazer pipas de plástico ou papel e descubra o que as faz voar.

47 Pipa de sacola plástica

Amarre um longo pedaço de barbante nas alças de uma sacola plástica fina. Segure a ponta do barbante e corra.

A sacola é tão leve que o vento a levanta facilmente.

48 Pipa de sacola de papel

Corte o fundo de uma sacola de papel e prenda algumas tiras de papel de seda, com fita adesiva.

Prenda um barbante às alças e corra segurando a ponta do barbante.

O ar passa pela sacola e em torno dela, criando uma força chamada sustentação. Isso faz com que a sacola flutue no ar.

49 Pipa – losango

Faça uma cruz com as varetas e prenda, assim.

1. Cruze duas varetas de bambu ou dois palitos de churrasco e amarre-as com barbante.

Faça um furo aqui.

3. Vire sua pipa. Use um lápis bem apontado para fazer um pequeno buraco no plástico onde as varetas se cruzam.

Quando o vento sopra sobre a pipa e você puxa o barbante, isso cria uma força chamada sustentação. Esta força faz com que a pipa suba.

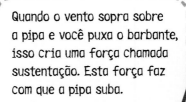

Leia algumas dicas sobre como soltar pipa na próxima página.

Fita adesiva

2. Coloque a estrutura contra um saco plástico. Desenhe um losango em volta da estrutura e recorte. Cole a estrutura no plástico com fita adesiva.

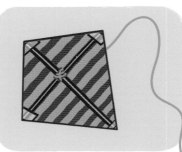

4. Passe a ponta de um rolo de barbante pelo furo. Amarre-o à moldura. Prontinho!

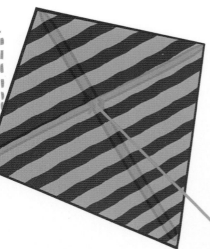

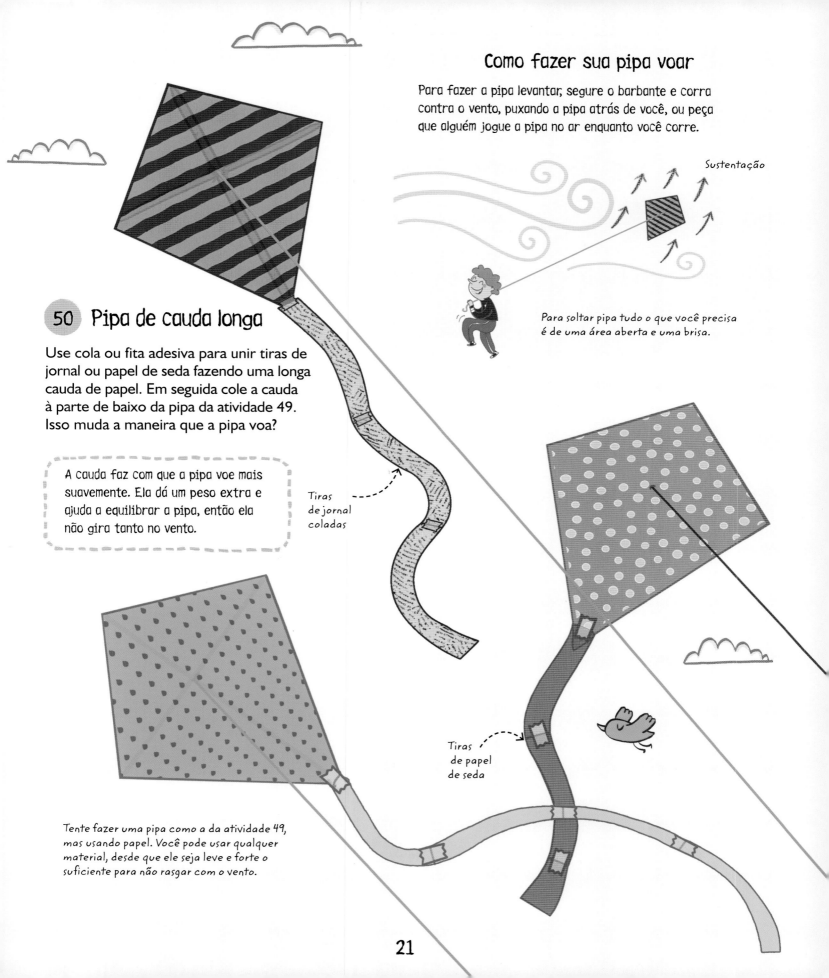

Como fazer sua pipa voar

Para fazer a pipa levantar, segure o barbante e corra contra o vento, puxando a pipa atrás de você, ou peça que alguém jogue a pipa no ar enquanto você corre.

Sustentação

Para soltar pipa tudo o que você precisa é de uma área aberta e uma brisa.

50 Pipa de cauda longa

Use cola ou fita adesiva para unir tiras de jornal ou papel de seda fazendo uma longa cauda de papel. Em seguida cole a cauda à parte de baixo da pipa da atividade 49. Isso muda a maneira que a pipa voa?

A cauda faz com que a pipa voe mais suavemente. Ela dá um peso extra e ajuda a equilibrar a pipa, então ela não gira tanto no vento.

Tiras de jornal coladas

Tiras de papel de seda

Tente fazer uma pipa como a da atividade 49, mas usando papel. Você pode usar qualquer material, desde que ele seja leve e forte o suficiente para não rasgar com o vento.

21

Andando sobre a água

Faça bichos de cartolina que se equilibram na água e descubra como isso funciona.

Você pode fazer bichos de qualquer formato e tamanho...

... mas quanto maior o bicho, maiores suas patas devem ser para que ele se equilibre na água.

51 Faça um bicho aquático

1. Dobre um pedaço de cartolina ao meio. Desenhe um bicho com três patas, desse jeito. Cuide para que a parte de cima do bicho toque a dobra do papel.

2. Recorte seu desenho, mas cuidado para não cortar a dobra. Então, dobre as patas do bicho, para que ele fique de pé.

Não corte esta parte.

3. Encha um prato com água e coloque o bicho com cuidado, para que todos as suas patas toquem a água ao mesmo tempo. Você consegue fazer com que ele se equilibre sobre a água?

Cuide para que as patas estejam na horizontal.

A superfície da água age como uma pele fina e flexível, mantida por uma força chamada tensão superficial. Objetos leves podem se equilibrar sobre esta película sem danificá-la.

52 Patas grandes

Repita a atividade 51 para fazer outro bicho, mas dessa vez com patas maiores. É mais fácil de fazê-lo se equilibrar?

É mais fácil equilibrar o bicho com patas grandes na água, já que patas maiores distribuem melhor o peso do bicho sobre a superfície.

53 Bicho peso-pesado

Repita a atividade 51, mas dessa vez ponha uma moeda de cada lado do corpo do bicho. Ainda é possível equilibrá-lo sobre a água?

Cole uma moeda de cada lado.

O bicho fica pesado demais com as moedas, então ele rompe a película de água e afunda.

54 Patas escorregadias

Faça um outro bicho e passe manteiga ou margarina debaixo de suas patas. Coloque-o na água. Fica mais fácil?

Gordura repele a água, o que ajuda o bicho a ficar na superfície da água, é por isso que muitos insetos aquáticos têm patas oleosas.

55 Agulha bóia?

Ao jogar uma agulha num pote com água, ela afunda. Experimente colocar a agulha sobre um pedaço de tecido com cuidado na água. O que acontece?

Pressione levemente o tecido com um lápis para ajudá-lo a afundar.

O tecido afunda, deixando a agulha sobre a água. A agulha é leve o suficiente para se equilibrar sobre a película de água, desde que ela não a rompa.

57 Será que flutua?

Coloque um pouco de pimenta sobre um pote com água e observe se ela flutua ou afunda. Mexa a água. O que acontece?

No início, a pimenta flutua na superfície. Ao mexer a água sua película se rompe e a pimenta afunda.

56 Água e sabão

Repita a atividade 55, para que a agulha fique sobre a água. Adicione algumas gotas de detergente. O que acontece?

O detergente rompe a película de água, fazendo com que a agulha afunde.

58 Pimenta em movimento

Jogue pimenta em um pote com água. Adicione algumas gotas de detergente. O que acontece?

O detergente rompe a película da água, empurrando a pimenta para onde a película ainda está intacta.

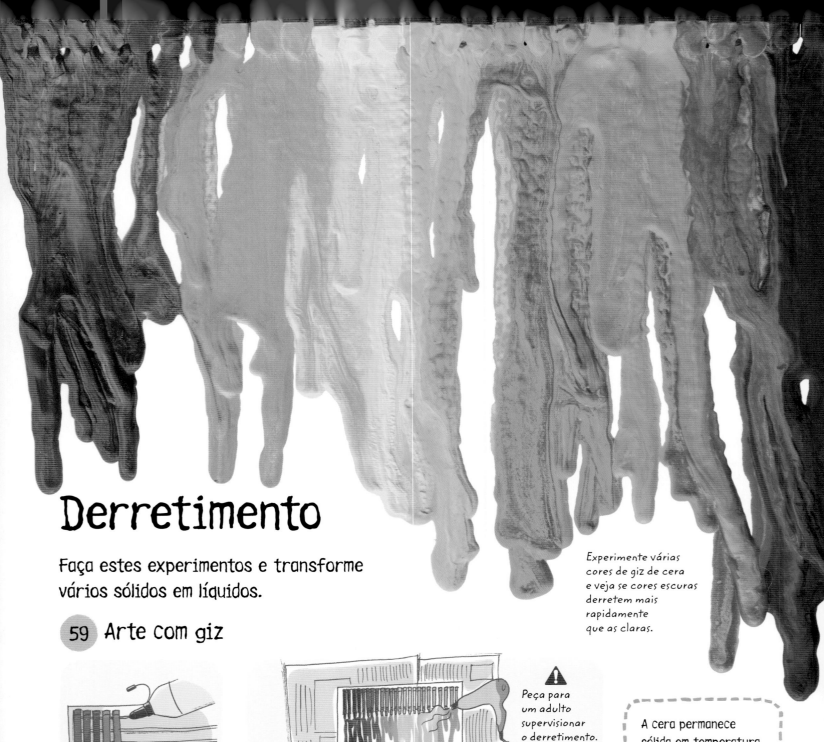

Derretimento

Faça estes experimentos e transforme vários sólidos em líquidos.

59 Arte com giz

Experimente várias cores de giz de cera e veja se cores escuras derretem mais rapidamente que as claras.

⚠️ Peça para um adulto supervisionar o derretimento.

A cera permanece sólida em temperatura ambiente (por volta de 20°C). Mas ela derrete quando esquenta se tornando líquida. Quando volta a esfriar, a cera solidifica novamente.

1. Use cola branca para prender vários gizes de cera à parte de cima de uma cartolina branca.

2. Apoie a cartolina contra uma parede forrada com jornal.

3. Mova um secador de cabelo quente sobre os gizes para derreter a cera. Deixe a cera esfriar.

60 Marshmallows

1. Aperte um marshmallow para ver a textura. Comece apertando com suavidade e depois aperte com mais força. Coloque-o em um prato.

2. Coloque o prato em um lugar quente, como perto de uma janela ensolarada ou de um aquecedor. Espere alguns minutos e torne a apertar o marshmallow. Como está sua textura?

Marshmallows são leves, fofos e derretem facilmente. À medida que o marshmallow esquenta, ele começa a amolecer. Se ele fica muito quente, ele se torna líquido.

61 Papéis preto e branco

1. Coloque pedaços de papel branco e preto sob uma lâmpada forte.

2. Coloque um cubo de gelo sobre cada papel. Qual cubo derrete primeiro?

Posicione a lâmpada entre os dois pedaços de papel.

O cubo sobre o papel preto derrete primeiro. Isso acontece porque a cor preta absorve mais luz e calor da lâmpada, mantendo mais o calor no papel. Já o papel branco, no entanto, reflete a luz e o calor.

62 Chocolate ao leite

1. Coloque um quadrado de chocolate ao leite em um prato sob o sol.

2. Coloque outro quadrado sob uma lâmpada forte.

3. Ponha um quadrado de chocolate em sua boca. Qual dos três derrete mais rápido?

O chocolate derrete mais rápido em sua boca, já que sua temperatura corporal o esquenta rapidamente. Provavelmente aquele que está sob a lâmpada será o último a derreter, caso ela não seja muito forte.

63 Corrida do chocolate derretido

1. Ponha um quadradinho de chocolate ao leite na boca e veja quanto tempo leva para derreter.

2. Agora faça o mesmo com chocolate amargo. Qual deles derrete mais rápido?

O chocolate ao leite é composto por mais gordura e por isso derreta mais rápido. Então, como você só consegue sentir o gosto do chocolate depois que ele derrete, sentirá o gosto do chocolate ao leite mais rápido.

Como as plantas crescem

A maioria das plantas começam como sementes,
precisando das condições certas para poder crescer.
Descubra o que faz uma semente germinar e se desenvolver.

64 Cultivando brotos de feijão

Qualquer tipo
de feijão serve.

1. Dobre um pedaço de
papel toalha e coloque-o
em um saco plástico.
Despeje água suficiente
no papel para deixá-lo
completamente úmido.

2. Coloque quatro grãos
de feijão no centro do
plástico, grudados no
papel. Feche o saco e
prenda-o a um pedaço
de papelão com fita.

3. Coloque o papelão
em uma janela ensolarada.
Deixe-o lá por uma semana,
mantendo o papel úmido.
O que acontece?

O feijão é um tipo de semente.
Se você lhe der calor e água, ele
vai brotar, se transformando em uma
muda. Você verá pequenos brotos verdes
crescendo em direção à luz, e as raízes
fibrosas brancas crescendo para baixo.

Folhas

Caule

Terra

Broto

Feijão

Casca

Feijão

Casca

Raízes

Raízes

65 Luz e calor

1. Encha dois potes de flor com terra
e adubo. Cave dois buracos em cada
pote e coloque delicadamente uma
muda de feijão em cada um.

2. Coloque um dos potes perto
de uma janela, e o outro em um lugar
frio e escuro. Regue regularmente.
O que acontece após uma semana?

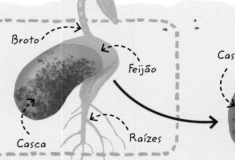

Coloque cada
pote sobre
um pires.

O pote que ficou perto da janela
recebeu mais luz e calor, o que
ajudou as mudas a crescerem.
As outras mudas não
crescerão muito
pois não
receberam
luz e calor
suficientes.

66 Sementes com sede

1. Ponha um pouco de algodão dentro de dois potes de iogurte perto de uma janela. Espalhe algumas sementes de agrião em cada pote.

Algodão   Sementes

2. Adicione água a um dos potes para umedecer o algodão, mantendo-o úmido durante uma semana. Deixe o outro pote seco. O que acontece?

As sementes no algodão úmido germinarão, mas as outras não. Isso acontece porque elas não receberam água.

67 Cultivando brotos

Corte a parte de cima de uma cenoura crua e coloque-a em um pires com pouca água. Cubra a cenoura com um copo e vá trocando a água a cada três dias. O que acontece?

Raízes ajudam as plantas a absorver água. A cenoura é uma raiz e por isso suga a água para ajudar no desenvolvimento dos caules e das folhas.

68 Criando raízes

Corte a ponta de uma cenoura crua. Espete quatro palitos na parte superior dela. Equilibre os palitos sobre um copo de maneira a deixar a cenoura pendurada. Encha o copo de água. O que vai acontecer nos próximos dias?

Raízes brancas e finas nascerão da cenoura, para ajudá-la a reter a água.

Caule e folhas

Cenoura

Raízes finas

Em seguida você pode plantar sua cenoura na terra e ver se ela continua a crescer.

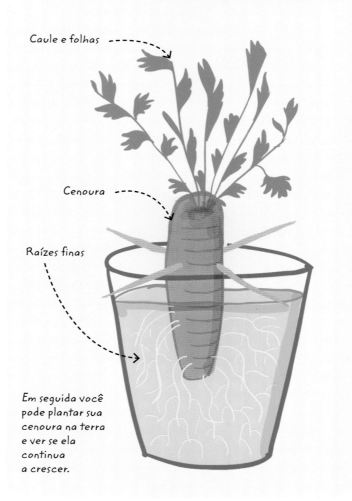

Fermento

Descubra o que é o fermento biológico e o que ele faz.

69 Faça uma mistura

1. Misture duas colheres de chá de fermento em 235ml de água morna em uma tigela. Adicione uma colher de chá de açúcar.

2. Mexa os ingredientes lentamente por um ou dois minutos. Deixe a mistura descansar e veja o que acontece.

Talvez leve cerca de 10 minutos para ver o resultado.

O fermento biológico, ou levedura, é um tipo de fungo. Quando misturado com água morna e açúcar, ele se alimenta do açúcar e libera um gás chamado dióxido de carbono. Bolhas desse gás criam uma camada de espuma à medida que o gás tenta escapar.

70 Enchendo um balão

1. Misture duas colheres de chá de fermento e duas colheres de chá de açúcar num copo de água morna. Mexa bem.

2. Despeje a mistura em uma garrafa e estique um balão na borda da garrafa. Coloque-a num lugar quente. O que acontece?

O fermento reage com a água morna e o açúcar, e libera dióxido de carbono. O gás se expande preenchendo a garrafa e inflando o balão.

71 Fermento e farinha

1. Em duas garrafas plásticas coloque uma mistura de uma colher de chá de fermento seco, uma colher de chá de açúcar e meio copo de água morna.

2. Adicione duas colheres de sopa de farinha em uma das garrafas. Agite as duas garrafas para misturar os ingredientes.

3. Ponha um balão por cima de cada garrafa e as deixe em um lugar quente por 10 minutos. Compare os balões.

Dica: Estique o balão algumas vezes antes de encaixá-lo na garrafa.

O balão na garrafa que contém farinha infla mais que o outro balão cuja a mistura só contém água morna, fermento e açúcar. Isso acontece porque o fermento consome a farinha juntamente com o açúcar, o que cria mais gás.

72 Faça um pão

1. Coloque 250g de farinha, uma pitada de sal e duas colheres de chá de azeite de oliva em uma tigela. Faça a mistura da atividade 69.

Lave suas mãos antes dessa atividade.

2. Adicione a mistura da atividade 69 aos poucos. Mexa todos os ingredientes com as mãos, até formar uma bola.

3. Polvilhe um pouco de farinha de trigo sobre a mesa (para não grudar). Com as mãos, amasse a massa por cerca de 10 minutos .

4. Ponha a massa na tigela e cubra com plástico filme. Leve a um lugar quente por uma hora para crescer.

5. Amasse a massa sobre uma superfície com farinha novamente, mas dessa vez amasse por mais tempo, porém com menos força.

6. Molde a massa em um formato de pão e coloque-a sobre uma forma untada.

A massa deve dobrar de tamanho.

7. Deixe a massa crescer em um lugar quente por 30 minutos. Pré-aqueça o forno a 230°C.

Use luvas de cozinha.

8. Leve ao forno por 20-25 minutos, ou até que o pão esteja dourado por fora.

O fermento cria bolhas de dióxido de carbono, que ficam presas dentro da massa. Isso faz com que ela cresça. No forno, a alta temperatura mata o fermento e por isso a massa para de crescer e endurece, deixando os furos que dão ao pão sua textura.

Você pode ver pequenos furos na massa quando corta um pão. Eles foram feitos pelas bolhas de gás dióxido de carbono.

O fermento biológico é usado no mundo todo para fazer a massa de pão crescer.

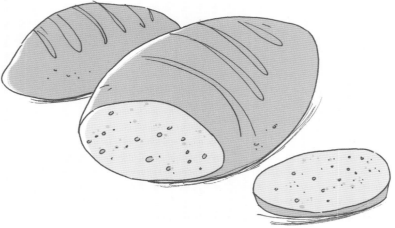

Cristais de sal

Descubra como cristais de sal reagem com a água formando desenhos na tinta.

73 Sal

1. Espalhe um pouco de tinta diluída em água em um papel grosso.

2. Jogue um pouco de sal sobre a tinta. Espere secar.

Adicione o sal enquanto a tinta está úmida.

3. Assim que a tinta secar bem, use uma esponja seca para retirar os grãos de sal soltos.

O sal absorve um pouco da água contida na tinta e um pouco do sal acaba se dissolvendo nela também. Quando a tinta seca, podemos ver formatos de estrela, chamados resíduos, em volta dos cristais de sal.

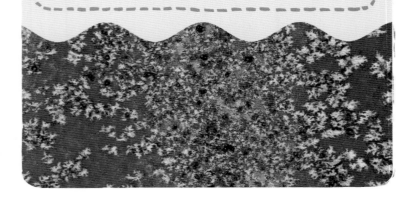

74 Mix de sal e tinta

Misture uma colher de sopa de sal com tinta diluída em água. Espalhe a mistura em um papel grosso e espere secar.

Esta técnica cria um efeito mais uniforme. Veja o resíduo branco onde a tinta com sal secou.

75 Tinta espessa

Espalhe uma tinta grossa sobre uma cartolina e jogue sal por cima. O que acontece desta vez?

Quando a tinta é espessa, o sal não pode absorver tanta água e ele também não se dissolve. Por isso o efeito é menos visível.

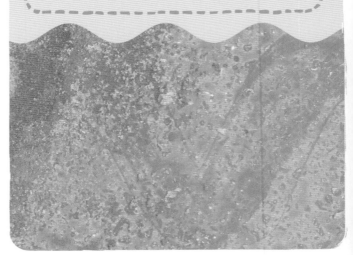

76 Grandes cristais

Espalhe um pouco de sal grosso numa camada de tinta diluída em água. Compare com os padrões obtidos nas atividades 73, 74 e 75.

Grandes cristais de sal não se dissolvem tão facilmente na tinta dando maior contraste.

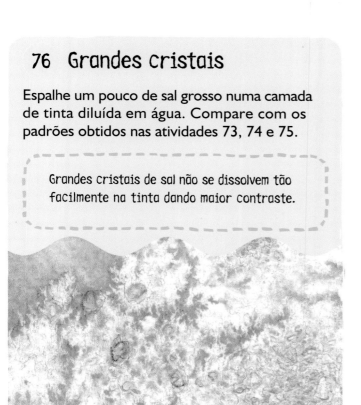

78 Sal moído

Moa alguns cristais de sal grosso com um rolo de massa. Em seguida, espalhe sobre a tinta úmida.

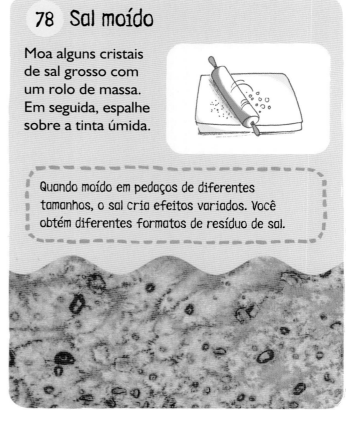

Quando moído em pedaços de diferentes tamanhos, o sal cria efeitos variados. Você obtém diferentes formatos de resíduo de sal.

77 Água e sal

Com uma pinça, pegue um cristal de sal grosso, mergulhe na água e aplique sobre a camada de tinta. Faça isso diversas vezes.

Os cristais de sal começam a se dissolver quando mergulhados na água. Quanto mais o sal dissolve, maiores as marcas deixadas por ele.

79 Açúcar

Espalhe um pouco de açúcar sobre a tinta úmida. Deixe secar, retire o excesso com uma esponja. O efeito é parecido com o do sal?

Apesar dos cristais de sal e açúcar parecerem iguais, o açúcar absorve mais água do que o sal e se dissolve mais também. Quando seco, ele gruda feito cola, além de deixar menos resíduo.

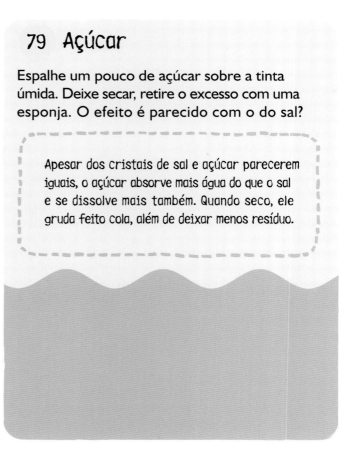

31

Tinta invisível

Escreva uma mensagem secreta com tinta invisível e descubra como fazê-la aparecer.

80 Suco de limão

1. Esprema um limão. Mergulhe um pincel no suco e pinte algo em um papel branco. Deixe secar.

2. Aqueça o forno a 150°C. Ponha cuidadosamente o papel no forno por 10 minutos. O que acontece?

Use luvas de cozinha.

O suco de limão é invisível depois de seco, mas quando esquenta no forno, o suco reage com o oxigênio presente no ar e se torna marrom. O suco reage naturalmente com o oxigênio, mas a temperatura acelera o processo.

81 Passando a ferro

1. Pinte uma figura com suco de limão e deixe secar. Passe o papel a ferro cuidadosamente até que a figura apareça.

2. Demoraria um pouco mais, mas outra opção é esquentar o papel com um secador de cabelo para revelar a figura.

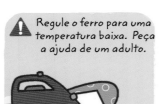

Regule o ferro para uma temperatura baixa. Peça a ajuda de um adulto.

Não deixe que o papel fique muito quente.

Desde que o papel esquente o suco de limão vai reagir com o oxigênio e se tornará marrom.

82 Suco de cebola

Rale uma cebola descascada e use o suco para escrever em um papel branco. Aqueça o papel como nas atividades 80 e 81, e veja a palavra aparecer.

O suco de cebola, assim como o de limão, se torna marrom quando quente.

83 Cadê a cauda do gato?

1. Desenhe um gato em um papel branco com um lápis. Despeje um pouco de leite em um copo e use-o para pintar uma cauda no gato. Deixe secar.

2. Peça a seus amigos que adivinhem onde está a cauda. Você pode pintar as iniciais deles ao lado de onde eles acham que ela está.

3. Aqueça o forno a 150°C. Leve o papel ao forno por 10 minutos e revele a verdadeira posição da cauda.

Cuidado: quente!

O leite seco é invisível, e assim como o suco de limão se torna marrom quando esquenta.

84 Jogo do mapa do tesouro

1. Desenhe um mapa do tesouro usando um lápis (para parecer antigo, rasgue os cantos e tinja com chá frio.)

2. Adicione uma colher de chá de bicarbonato de sódio e uma colher se sopa de água em um pote. Misture bem.

3. Mostre a posição do tesouro marcando um X no mapa, usando a mistura de bicarbonato de sódio. Deixe secar.

4. Agora seus amigos têm que tentar adivinhar onde está o tesouro. Leve ao forno por 10 minutos e revele a resposta.

Aqueça o forno a 150°C. Use luvas de cozinha.

Seca, a mistura de bicarbonato de sódio é quase invisível, mas quando esquenta ela fica marrom.

85 Reação do repolho roxo

1. Desenhe com o bicarbonato de sódio (mistura da atividade 84) e deixe secar.

2. Corte um pouco de repolho roxo e coloque dentro de uma tigela.

3. Despeje água quente sobre o repolho e espere 10 minutos.

4. Passe a água de repolho roxo no papel. O que acontece?

Quando a água de repolho roxo toca o bicarbonato de sódio, uma reação acontece e faz com que o desenho fique verde.

Veja outra atividade com repolho roxo na página 90.

Experiências sonoras

Descubra como fazer instrumentos musicais e divirta-se tocando!

86 Caixa de eco

1. Estique um elástico entre seu polegar e indicador para testar o som. Use sua outra mão para dedilhá-lo.

2. Faça um furo na tampa de uma caixa de sapatos e estique um elástico em torno da caixa. Dedilhe o elástico. O som parece mais forte?

Quando você dedilha o elástico, ele vibra e faz o ar vibrar também, criando o som. Quando o elástico é esticado sobre a caixa, o som ecoa dentro dela ficando mais forte.

87 Construa um instrumento

1. Pegue alguns elásticos grossos e finos, mas com o mesmo comprimento. Em seguida, estique-os sobre a caixa por ordem de espessura.

2. Segure a caixa com uma mão e dedilhe os elásticos com a outra. Quais sons você escuta?

Caixa da atividade 86

O que é o som?

Sons são causados por pequenos movimentos, chamados vibrações, que viajam pelo ar. Quando essas vibrações chegam aos nossos ouvidos, as escutamos na forma de sons.

Você pode colar pedaços de papelão debaixo dos elásticos para fazer com que os sons durem mais (assim o elástico não toca a caixa e vibra livremente).

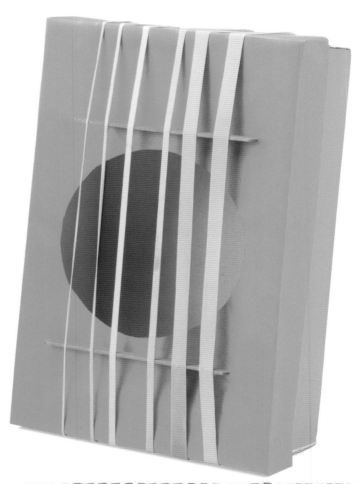

Diferentes tipos de elástico produzem diferentes sons. Elásticos grossos vibram mais lentamente e geram sons mais graves; elásticos finos vibram mais rápido, gerando sons mais agudos. Quanto mais forte você dedilha, mais amplas as vibrações e mais forte é o som.

88 Forte e fraco

Ponha um pouco de arroz cru em um vidro com tampa e chacoalhe. Agora enrole o vidro em um pano e chacoalhe. O que acontece?

Quando os grãos batem nas laterais do pote eles enviam vibrações através do vidro, gerando um som forte. O pano abafa as vibrações, então você não escuta tão claramente.

89 Zumbido musical

Feche seus lábios e cantarole o mais alto que puder. Dobre uma folha de papel manteiga em torno de um pente. Ponha-o entre os lábios e cantarole outra vez. Soa mais forte?

Este "zumbido" acontece quando o ar vibra em sua boca e seu nariz. Quando você cantarola com um pente em sua boca, o pente e o papel vibram também aumentando o zumbido.

90 Faça um tubo de som

Faça um furo pequeno com uma tachinha. Em seguida, empurre um lápis pelo furo para torná-lo mais largo.

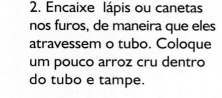

1. Pegue um tubo largo de papelão com tampa (como os de salgadinho). Use uma tachinha e um lápis para fazer furos de um lado para o outro.

2. Encaixe lápis ou canetas nos furos, de maneira que eles atravessem o tubo. Coloque um pouco arroz cru dentro do tubo e tampe.

3. Vire o tubo de ponta-cabeça. Vire outra vez. O que é que você ouve?

À medida que os grãos se movem através do tubo, eles batem nos lápis e canetas, fazendo o ar dentro do tubo vibrar, gerando um som parecido com a chuva.

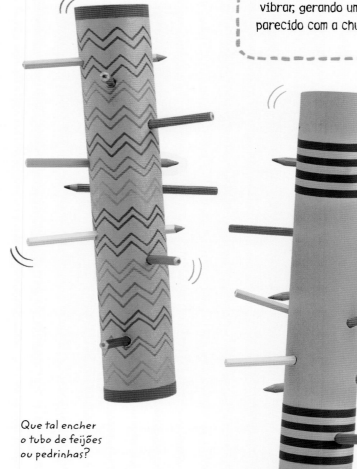

Que tal encher o tubo de feijões ou pedrinhas?

Fabricando papel reciclado

Aprenda a fazer papel reciclado em casa.

91 Papel áspero

Para uma polpa mais macia você pode misturar o papel e a água em um liquidificador (lave-o assim que você terminar de usá-lo).

Use elásticos para prender a meia-calça.

1. Dobre um cabide de arame em forma de quadrado e passe uma das pernas de uma meia-calça sobre ele para fazer uma tela.

2. Rasgue pedaços de papel em uma tigela. Despeje água suficiente para cobrir o papel e deixe-o absorver a água por uma hora.

3. Rasgue o papel amolecido um pouco mais. Em seguida, adicione uma colher de sopa de cola branca e misture.

O papel-toalha absorverá um pouco da água.

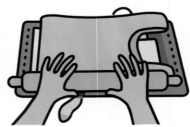

A secagem pode levar de 2 a 3 dias.

4. Coloque algumas folhas de papel-toalha em uma forma e ponha sua tela sobre ele. Espalhe a mistura de polpa de papel sobre a tela.

5. Coloque uma sacola plástica sobre a tela e alise-a com a ajuda de um rolo de massa para fazer uma fina camada de polpa debaixo da sacola.

6. Coloque a tela sobre umas folhas de jornal para secar. Depois de seca, você pode retirar a folha de papel reciclado da tela.

Esse papel foi feito com pedaços de papel azul e branco.

Note como a superfície e as bordas do papel parecem ásperas e desiguais.

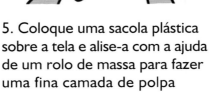

O papel é normalmente feito de pequenas fibras ou fios de madeira. Quando o papel velho é rasgado e encharcado estas partes se separam. Prensando a polpa com o rolo faz com que as fibras se unam e formem o papel novamente.

92 Papel forte

Use papel branco e algodão para fazer este papel.

O algodão vem de uma planta cujas fibras são mais fortes que as da madeira e impedem que o papel se rasgue facilmente.

Você também pode adicionar linhas de algodão.

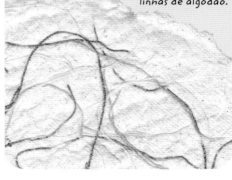

93 Papel salpicado

Adicione pedacinhos de papel laminado à polpa.

O papel laminado não se desfaz, portanto os pedaços brilhantes vão aparecer no papel reciclado.

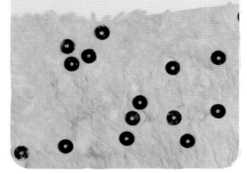

94 Papel de festa

Adicione algumas gotas de corante alimentar à polpa e misture bem. Espalhe algumas lantejoulas ou purpurina nela antes de prensá-la.

Você pode tingir o papel de várias cores. Lantejoulas e purpurina criam um efeito brilhante e superfestivo!

95 Jornal

Faça uma polpa rasgando jornais velhos e revistas.

A tinta contida em jornais e revistas deixam o papel mais escuro, desse jeito.

96 Pétalas e folhas

Tente fazer a polpa a partir de pedaços de lenços de papel. Adicione flores, folhas ou grama à polpa antes de prensá-la.

Feito com lenços de papel, o resultado é: mais maciez.

As pétalas, grama ou folhas serão prensadas junto à polpa e preservadas no papel.

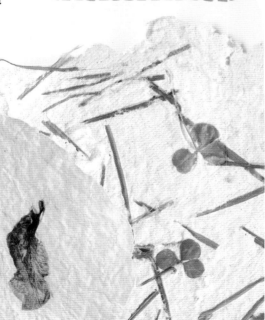

Resistindo ao movimento

Descubra como os objetos resistem ao movimento. Isso é conhecido como inércia.

97 Laranja em queda

1. Coloque um quadrado de papelão sobre um pote plástico.

2. Ponha um tubo de papelão sobre o quadrado e equilibre uma laranja sobre ele.

3. Usando a palma da sua mão, empurre rapidamente a lateral o quadrado.

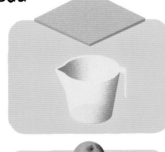

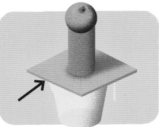

Ao empurrar o quadrado, ele se desloca para o lado junto com o tubo, mas a laranja cai em linha reta. Isso acontece pois a laranja é mais pesada e assim, resiste mais ao movimento.

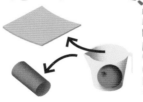

A laranja deve cair dentro do pote.

98 Puxando a toalha

1. Estenda uma toalha de mesa ou um tecido macio sobre uma mesa. Disponha copos e pratos de plástico grosso sobre ela.

2. Puxe a ponta da toalha para fora da mesa rapidamente, em um só movimento.

Você talvez precise praticar um pouco para que isso funcione.

Puxe rapidamente.

Você descobrirá que os copos e pratos tendem a se manter onde estavam, mesmo quando você puxa a toalha. Isso acontece por conta da inércia – eles são pesados o suficiente para resistir ao movimento.

99 Carga pesada

1. Empurre um skate. É pesado?

2. Agora, coloque dois livros sobre ele. É fácil empurrá-lo assim?

3. Adicione mais livros. Você precisará de mais força para mover o skate.

Você precisa empurrar o skate com muito mais força quando ele carrega livros, pois quanto mais pesado ele fica, maior será sua inércia e mais ele resiste para ser deslocado.

Você observa o mesmo efeito em um carrinho de compras de mercado. Quanto mais cheio ele estiver, mais força você precisa para colocá-lo em movimento.

100 Torre de dados

1. Empilhe três dados, coloque uma moeda e acrescente mais três dados sobre ela.

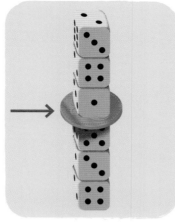

2. Use seu dedo médio para dar um peteleco na moeda. O que acontece com os dados?

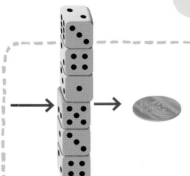

Você deve ser capaz de dar um peteleco na moeda sem derrubar os dados. Isso acontece por conta da inércia.

101 Torre de moedas

1. Faça uma torre, empilhando dez moedas.

2. Dê um peteleco em outra moeda fazendo com que ela entre na base da torre.

A moeda que você jogou bate na base da torre e empurra a moeda de baixo para fora da pilha. As outras moedas permanecem no local porque elas têm inércia para resistir a mudança.

102 Bastão imóvel

1. Coloque uma fina tira de papel na borda de uma mesa. Ponha um bastão de cola sobre a tira.

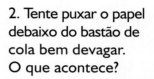

Deixe metade da tira de papel para fora da mesa.

2. Tente puxar o papel debaixo do bastão de cola bem devagar. O que acontece?

3. Tente novamente, mas desta vez faça um movimento de "cortar" o papel que está fora da mesa com sua mão.

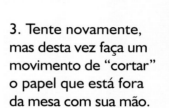

Você descobrirá que o bastão de cola quer ficar onde está. Quando puxamos o papel lentamente derrubamos o bastão, mas se retiramos o papel rapidamente, o bastão de cola resiste e fica no lugar.

103 Captura da moeda

1. Mantenha sua mão com a palma para cima junto da sua orelha e equilibre uma moeda em seu cotovelo.

2. Em um movimento rápido, estenda sua mão e tente capturar a moeda antes que ela caia.

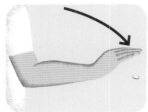

Devido à inércia, a moeda demora um instante para sofrer o efeito da gravidade e cair. Por isso você tem tempo para pegá-la antes que ela esteja fora de alcance.

Pressão do ar

Aprenda sobre a força do ar e como ela muda em diferentes temperaturas.

104 Desafiando a gravidade

1. Encha um copo com água completamente.

Encha até a borda

2. Tampe o copo com um pedaço de cartolina e pressione bem firme.

3. Segure forte a cartolina no lugar e vire o copo de cabeça para baixo num movimento rápido. Devagar, solte a cartolina.

Faça isto sobre uma pia, só para garantir.

Você vai descobrir que a cartolina continua no lugar e a água continua dentro do copo.

Esta é a pressão do ar agindo de baixo para cima. A pressão é forte e equilibra o peso da água dentro do copo.

Água empurrando para baixo

Pressão do ar empurrando de baixo para cima

O que é a pressão do ar?

O ar é composto de pequenas partículas que se movimentam e comprimem as coisas, gerando pressão. O ar está o tempo todo nos empurrando também, mas estamos tão acostumados que não percebemos.

105 Quanto pesa o ar?

1. Encha dois balões até ficarem do mesmo tamanho. Prenda os balões a uma régua com um barbante.

2. Prenda um outro pedaço de barbante no meio da régua e pendure-a.

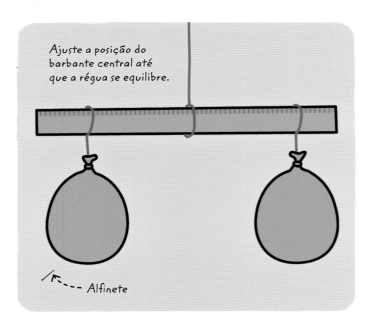

Ajuste a posição do barbante central até que a régua se equilibre.

Alfinete

3. Estoure um dos balões com um alfinete. O que acontece?

A régua se desequilibra e o lado do balão estourado sobe, mostrando que o balão cheio está mais pesado do que o que estourou. Isso mostra que o ar pesa.

106 Faça sua estação meteorológica

1. Corte o fundo de um balão e com ele tampe a borda de um vidro. Prenda firmemente com um elástico.

2. Com fita adesiva, prenda um canudinho ao balão, desse jeito:

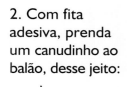

Deixe o espaço da largura de um lápis entre cada linha.

3. Faça quatro linhas em um pedaço de cartolina. Nos espaços escreva *Alta*, *Sem mudanças* e *Baixa*.

Alta

Sem mudanças

Baixa

4. Cole o cartão no pote, de maneira que o canudo se alinhe com o nível Sem mudanças. Espere alguns dias e veja o que aconteceu.

Quando a pressão do ar aumenta, o ar do lado de fora do pote empurra o balão para baixo, fazendo o canudo apontar para cima. Quando ela diminui, o ar que está dentro do pote empurra o balão para cima, e o canudo aponta para baixo.

Alta pressão do ar significa tempo bom, enquanto baixa pressão significa chuva.

Agora você já pode prever o tempo sozinho!

107 Balão na garrafa

1. Encha uma tigela com água fria e gelo. Encha uma garrafa plástica até a metade com água quente. Conte até dez e encaixe um balão sobre a garrafa.

2. Coloque a garrafa na água gelada. Espere alguns minutos e veja o que aconteceu.

A atividade funciona melhor com água recém fervida.

À medida que a garrafa esfria, a pressão do ar diminui e o balão é sugado para dentro do gargalo. O ar, tendo uma pressão maior do lado de fora, entra na garrafa e começa e encher o balão dentro dela.

108 Garrafa esmagada

1. Despeje água recém fervida em uma garrafa plástica e agite-a.

Faça isso na pia e não toque na garrafa enquanto você despeja a água.

2. Depois de cinco minutos, esvazie a garrafa, tampe e leve ao congelador por cinco minutos. O que acontece?

Use luvas de cozinha quando for esvaziar a garrafa.

A garrafa sai esmagada. À medida que o ar dentro da garrafa esfria, a pressão cai também. Uma pressão de ar maior do lado de fora irá apertar a garrafa.

Tensão superficial

Você sabe o que é tensão superficial da água? Não? ...Então descubra e divirta-se!

109 Estampas de giz

1. Rale várias cores de giz de quadro negro em um pote com água.

Cuide para não ralar seus dedos.

2. Mexa o giz com a ajuda de um palito apenas para misturar levemente as cores.

3. Ponha uma folha de papel na superfície da água. Deixe por alguns segundos e retire-a para secar.

A superfície da água se mantém como uma película graças à tensão superficial (leia mais na página 22). O pó de giz é muito leve e fica por cima desta película. Quando você põe o papel na água, o giz adere a ele e o desenho é transferido para o papel.

Pó de giz no papel

110 Óleo de giz

1. Rale um pouco de giz de quadro negro em um prato raso. Adicione uma colher de sopa de óleo vegetal e misture.

Ralador

Cuide para não ralar os dedos.

2. Com uma colher de chá, pingue o óleo de giz em um recipiente com água.

3. Mexa levemente o óleo de giz com a ajuda de um palito.

4. Ponha uma folha de papel na água, retire-a e deixe secar.

O óleo de giz se espalha na superfície da água e se mantém na superfície mesmo quando você mexe a água. Quando você põe o papel, o óleo de giz gruda na folha, transferindo o desenho.

Óleo de giz no papel

111 Teste do esmalte de unha

1. Ponha um pouco de água numa tigela pequena e adicione algumas gotas de esmalte de unha de diferentes cores.

2. Faça um formato de coração no esmalte com a ajuda de um palito. Coloque um pedaço de papel sobre a tigela e retire-o.

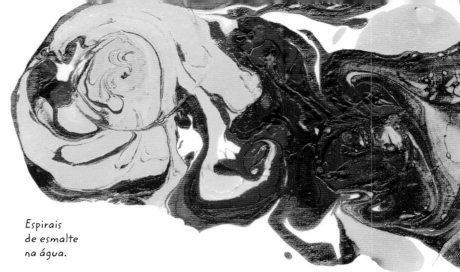

Espirais de esmalte na água.

O esmalte de unha é leve e fica sobre a água. Ele permanece lá, mesmo se você mexer e tentar misturá-lo. Quando você põe um papel sobre o desenho na água, o esmalte adere a ele.

112 Gotas de óleo no giz

Rale uma fina camada de giz de quadro negro sobre um recipiente com água. Adicione algumas gotas de óleo sobre o giz e espere por um minuto. Disponha uma folha de papel sobre a superfície da água, retira-a e espere secar.

As gotas de óleo se espalham na água, e não se misturam a água, nem ao giz. Veja abaixo os círculos de óleo na estampa abaixo.

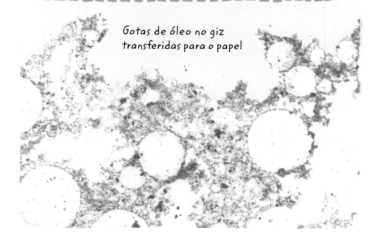

Gotas de óleo no giz transferidas para o papel

113 Arte com espuma de barbear

Cubra um prato grande com uma camada de espuma de barbear e salpique tinta (qualquer tipo), com o auxílio de um pincel. Misture com um palito e coloque um pedaço de papel em cima. Levante o papel e raspe a espuma com um papel cartão para revelar o desenho.

A espuma se comporta como uma película superficial da água. A tinta se mantém sobre a espuma e pode ser mexida para formar um padrão que é transferido para o papel.

Padrão em espuma de barbear

Seres vivos e células

Células são pequenos blocos que constituem todos os seres vivos. Cada célula possui um código dentro dela, chamado DNA, que diz o que ela tem de fazer. Divirta-se com estas atividades!

114 O interior da célula

1. Encha um copo com vinagre e coloque um ovo dentro. Deixe-o lá por alguns minutos. O que acontece?

A casca do ovo irá reagir com o vinagre e fazer algumas bolhas.

2. Deixe o ovo no copo com vinagre por três dias. O que você consegue ver agora? Retire os restos de casca que sobrarem.

Coloque o ovo (já sem a casca) contra a luz.

Quando você coloca um ovo sem casca contra a luz, isso é o que você vê.

O DNA é armazenado aqui.

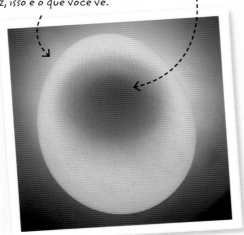

Um ovo é na verdade uma grande célula. A casca dissolve vagarosamente no vinagre, então você pode vê-lo por dentro. Essa bolha escura é a gema e contém o DNA. A parte esbranquiçada é a clara – uma gelatina cheia de água que ajuda a célula a crescer.

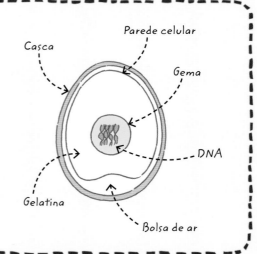

Casca · Parede celular · Gema · DNA · Gelatina · Bolsa de ar

115 Células e água

1. Encha até a metade dois copos com água morna e adicione três colheres de sopa de sal em um deles.

2. Corte a ponta de duas cenouras e coloque-as nos copos. Deixe-as na água de um dia para o outro. O que acontece?

Você descobrirá que a cenoura no copo com água e sal encolhe, enquanto a outra incha. Células contêm muita água que reagem com a quantidade de água e sal que as rodeia.

Em água salgada as células da cenoura perdem água e a cenoura encolhe.

Em água pura, as células da cenoura absorvem água e a cenoura incha.

Qual a aparência do DNA?

O DNA das plantas e dos animais é constituído de fios longos e finos. Os filamentos são muito pequenos para vermos a olho nu, mas você pode observá-los quando eles se juntam como nas experiências abaixo:

116 Observe o DNA de frutas

1. Coloque uma garrafa de álcool isopropílico (você encontra em farmácias) no congelador por uma hora.

2. Em um saco plástico, coloque alguns morangos e um pouco de água. Feche-o e esmague os morangos.

3. Abra o saco e despeje o suco em um copo. Misture com algumas gotas de detergente.

4. Incline levemente o copo e despeje o álcool isopropílico gelado bem devagar até a metade do copo. O que você vê? Espere uma hora. E agora?

Não beba a mistura.

Filamentos de DNA aglomerados

Você pode ver melhor estes filamentos colocando o copo contra a luz.

⚠️

Faça estas atividades com um adulto. Certifique-se que ninguém beba o álcool isopropílico.

117 DNA humano

1. Coloque uma garrafa de álcool isopropílico no congelador por uma hora.

2. Misture uma colher de sopa de sal em meio copo de água.

3. Ponha uma colher de sopa dessa água com sal em sua boca e faça um bochecho. Cuspa em outro copo.

4. Ponha algumas gotas de detergente em meio copo de água. Coloque uma colher de sopa desta mistura no copo com a água de bochecho.

5. Incline o copo em que você colocou seu bochecho e adicione lentamente o álcool isopropílico gelado até metade do copo. Você pode ver seu DNA?

Não beba esta mistura.

Esmagar morangos ou fazer bochecho com água salgada permitem que você colete algumas células. O detergente quebra essas células e libera o DNA. O álcool isopropílico separa os filamentos de DNA, que se unem e formam um aglomerado.

Construindo

Aprenda como alguns formatos são mais fortes que outros e mais difíceis de derrubar.

118 Construa uma torre

1. Use canudos e marshmallows para fazer dois quadrados.

2. Use quatro canudos para unir os dois quadrados. Forme um cubo.

3. Coloque seis canudos longos na diagonal (em cada lateral).

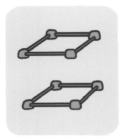

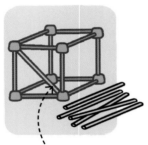

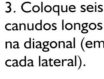

As diagonais deixam o cubo mais estável.

4. Faça mais quadrados. Una-os ao cubo para formar uma torre. Posicione uma plataforma de papelão no topo e observe se a torre sustenta um brinquedo.

A torre é forte porque cada lateral é sustentada e as diagonais impedem que os cubos percam sua forma. A torre pode sustentar um brinquedo pois o peso dele se distribui por todos os canudos e é sustentado igualmente por cada um.

119 Faça uma pirâmide

1. Faça um quadrado com quatro canudos e marshmallows.

2. Faça uma pirâmide com quatro canudos e um marshmallow.

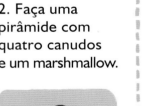

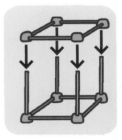

A pirâmide é forte pois distribui o peso muito bem. Se você apoia um livro à sua lateral, o peso será distribuído através dos canudos e será sustentado.

3. Teste a força da pirâmide pressionando sua ponta. Você consegue apoiar um livro contra a pirâmide?

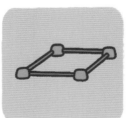

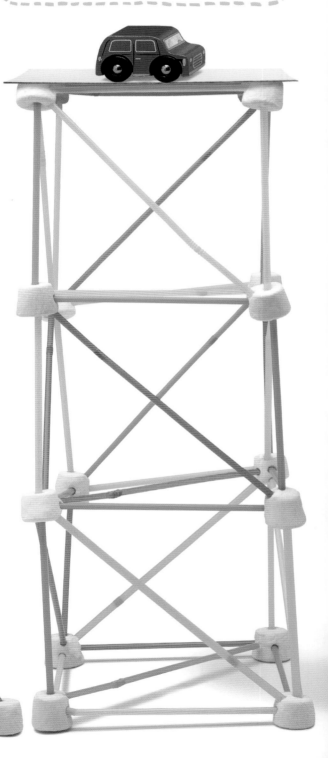

120 Torre de tubos

1. Enrole um pedaço de papel cartão fazendo um tubo. Cole-o com fita adesiva e coloque de pé.

2. Com outro pedaço de papel cartão, faça um tubo triangular. Veja abaixo:

Faça as laterais do tubo com a mesma largura.

3. Posicione um quadrado de cartolina a cada tubo e equilibre um brinquedo pequeno em cima. Quanto peso cada torre sustenta?

Tubos redondos e triangulares sustentam bem o peso. Ambos os formatos distribuem o peso colocado sobre eles o mais uniformemente possível. Tubos triangulares de lados iguais suportam o peso igualmente entre cada lado, enquanto tubos redondos o distribuem ao longo de toda sua extensão.

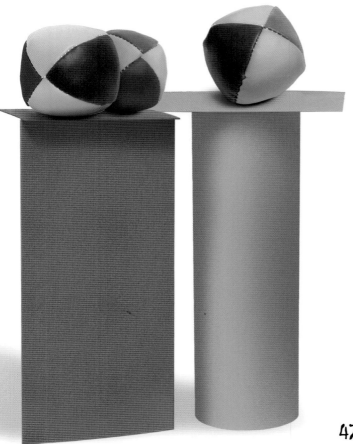

121 Tubo de papel

1. Faça um tubo de papel. Prenda com fita adesiva. Coloque-o de pé e apoie uma maçã. Ela se sustenta?

2. Agora ponha o tubo de lado. Coloque a maçã bem no meio do tubo. O que acontece?

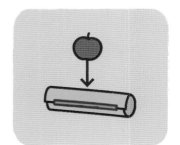

O tubo de papel só é resistente quando na vertical. Quando de lado, seu formato curvo não consegue distribuir o peso da maçã e o tubo é esmagado.

122 Equilibrando a garrafa

Encha uma garrafa plástica até a metade. Tente derrubá-la empurrando na parte de baixo. Ela tomba? Agora empurre na parte de cima.

123 Garrafa cheia

Adicione mais água até encher a garrafa e tente derrubá-la empurrando a parte de cima. Conseguiu?

Tudo depende de onde o centro de gravidade da garrafa está. Ela é mais estável quando a maior parte do seu peso se concentra em sua base. Enchendo-a, seu centro de gravidade move-se mais para cima, o que faz com que ela fique menos estável e, por isso, mais fácil de ser derrubada.

Sólidos, líquidos e geleca

Nestas experiências você vai descobrir mais sobre sólidos, líquidos e como fazer uma geleca... (que não é nem sólida, nem líquida)

124 Testando sólidos

1. Pegue objetos como: uma bola de borracha, uma toalha e um jornal velho.

2. Coloque cada objeto dentro de uma tigela. O que acontece? Eles mudam de formato?

3. Agora, pegue cada objeto e tente apertá-lo ou puxá-lo. Você pode quebrar ou torcê-los?

Todas as coisas são feitas de partículas que são muito pequenas para serem vistas. Sólidos não fluem ou se espalham pois suas partículas são bem unidas, o que os dá formato e os mantêm firmes. Sólidos mantêm seu formato até que algo os puxe, empurre, estique ou comprima. Mesmo assim, eles geralmente retomam sua forma e tamanho originais.

Teste seus sólidos:
Você pode apertá-los...

...rasgá-los...

...ou torcê-los?

125 Os líquidos

Encha uma jarra com água. Despeje a água em recipientes de formatos diferentes. Você notou alguma coisa?

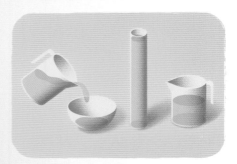

As pequenas partículas que constituem os líquidos são mais espaçadas do que as presentes nos sólidos, e por isso podem se mover. Isso permite que o líquido flua e mude de formato. Quando você despeja água, ela assume a forma do seu recipiente.

126 Água e açúcar

Misture uma colher de açúcar em um copo com água. O que acontece? Agora prove a água. O que você nota?

Os grãos de açúcar parecem ter desaparecido, mas a água está doce. Na verdade, as partículas em cada grão de açúcar se espalharam e se misturaram às partículas de água. Isso se chama dissolução.

127 Água e areia

Misture uma colher de areia a um copo com água. O que acontece? Você nota alguma coisa? (Não beba esta mistura).

A areia não desaparece na água pois suas partículas não se dissolvem. Esta mistura turva gerada pela areia é chamada suspensão. Depois de alguns minutos a areia se assenta no fundo do copo.

128 Fábrica de geleca

1. Ponha duas xícaras de amido de milho em uma tigela grande. Adicione quatro gotas de corante alimentar a uma xícara de água e despeje na tigela.

2. Enrole as mangas e misture os ingredientes com as mãos.

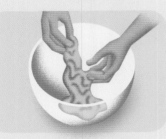

3. Qual é a sensação dessa mistura em suas mãos?

4. Pegue um punhado da mistura. Ela fica na sua mão ou escorre pelos seus dedos?

5. Veja se você consegue fazer uma bola com essa mistura em suas mãos. Tente enrolar bem rápido e depois mais devagar.

6. Tente socar a mistura. Ela é dura ou macia?

7. Tente mexer a mistura com uma colher de pau. O que acontece?

> A geleca pode tanto agir como um sólido quanto como um líquido. O amido de milho é feito de partículas longas e finas. Quando a geleca é enrolada rapidamente ou socada, as partículas resistem como as de um sólido. Quando ela escorre, suas partículas escorregam umas nas outras, fazendo a geleca parecer um líquido.

129 Fábrica de gosma

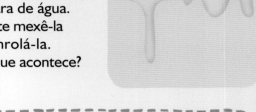

Use a geleca da atividade 128 e adicione uma xícara de água. Tente mexê-la e enrolá-la. O que acontece?

> Adicionando água, a geleca se transforma em uma gosma líquida e perde suas características sólidas. Você pode mexê-la com a colher, mas não pode enrolá-la.

130 Gosma seca

1. Despeje uma fina camada de gosma em um prato. Coloque alguns objetos dentro dela (moeda, clipe e uma folha).

2. Deixe a gosma secar por um dia. Tente levantar os objetos. O que fica para trás?

> A água na gosma evapora lentamente – ela se transforma em um gás e vai embora no ar. Apenas o amido de milho e o corante ficam para trás. Se você deixa objetos na gosma enquanto ela seca, o formato dos objetos ficará impresso nela.

Truques de atrito

Descubra mais sobre o atrito (força obtida quando duas coisas se arrastam uma contra outra) e como diminuí-lo.

131 Faça um foguete

1. Em uma cartolina, desenhe um foguete e recorte.

2. Corte dois pedaços de canudo e cole-os no foguete com fita adesiva. Cole também uma moeda na base do foguete para dar um pouco mais de peso.

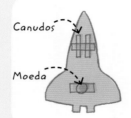

Canudos

Moeda

3. Corte um pedaço de barbante de um metro e passe-o pelos canudos de maneira que as pontas fiquem para trás do foguete.

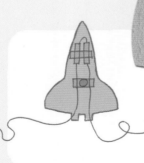

4. Pendure a dobra do barbante numa maçaneta da porta. Segure as pontas e puxe. Você consegue fazer o foguete subir pelo barbante?

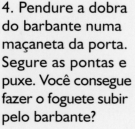

Você pode adicionar contas de colares às pontas do barbante. Assim fica mais fácil de segurá-las.

132 1, 2, 3 e já!

Repita a atividade 131, mas dessa vez solte o barbante. O que acontece?

Quando você libera a tensão do barbante, não há atrito e o foguete cai.

Você pode fazer o foguete pairar, mantendo as pontas do barbante separadas.

O atrito é a força gerada quando duas coisas se arrastam uma contra outra (veja nas páginas 14–15). Quando você puxa os dois lados do barbante, o foguete se move para cima. Sem atrito, ele deslizaria para baixo novamente (devido à força da gravidade). Mas a fricção da corda contra o canudo gera atrito suficiente para evitar que o foguete caia.

134 Diminuindo o atrito

1. Coloque um livro pesado sobre a mesa. Tente empurrar o livro ao longo da mesa com seu dedo mínimo. É fácil?

2. Em seguida coloque bolinhas de gude debaixo do livro e empurre-o novamente. Você nota alguma diferença?

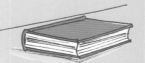

No passo 1, havia muito atrito entre o livro e a mesa, por isso foi difícil movê-lo. No passo 2, as bolinhas diminuíram o atrito, pois diminuíram o contato entre o livro e a mesa. Isso fez com que fosse mais fácil movê-lo.

135 Esfregando as mãos

Esfregue suas mãos rapidamente por cerca de 20 segundos. O que acontece?

Esfregar as mãos gera atrito. Atrito também gera calor, então suas mãos esquentam.

136 Pés derrapantes

Derrape em um piso liso com os pés descalços. Em seguida, faça o mesmo calçando meias e depois calçando seus tênis. Existe alguma diferença?

Meias reduzem o atrito entre pés e chão, fazendo com que você deslize. Tênis são projetados para ter aderência e criar atrito, por isso é mais difícil de derrapar.

133 Linha grossa

Faça outro foguete usando um barbante mais áspero. Como ele se comporta?

O barbante mais áspero cria mais atrito, o que é melhor para impedir que o foguete deslize para baixo.

Fazendo música

Veja como as vibrações no ar produzem os mais diversos sons musicais.

137 Faça flautas de garrafa

1. Organize, em uma fileira, garrafas de diferentes formatos.

2. Despeje água dentro delas, enchendo-as com diferentes quantidades. Sopre dentro de cada garrafa. O que você escuta?

Soprar dentro das garrafas faz com que o ar vibre, criando sons. O tipo de som depende de quanto ar existe dentro da garrafa: pouco ar (em garrafas cheias) produz um som mais agudo; muito ar (em garrafas com menos água) produz um som mais grave.

138 Batucando!

Com uma colher, bata de leve nas laterais das garrafas. O que acontece?

Batucar nas garrafas faz com que o ar vibre também. Quanto menos ar houver, mais agudo será o som.

139 Didgeridoo

1. Dobre um pedaço de papel manteiga sobre um pente.

2. Segure-o contra um tubo de papelão.

3. Mantenha a parte inferior do tubo sobre uma mesa, leve a parte de cima à sua boca e sopre bem forte através do pente. O que acontece?

Essa é uma versão simples de um instrumento australiano chamado didgeridoo. Soprar através do papel faz um zumbido. Este zumbido ecoa dentro do tubo, fazendo com que o ar vibre, gerando um som forte.

140 Alto-falantes

1. Estale os dedos perto de sua orelha e perceba quão forte é esse som.

2. Depois, encha um balão. Segure-o contra sua orelha e estale seus dedos do outro lado do balão. E agora, o que você ouve?

Quando você estala os dedos perto do balão, o ar preso dentro dele vibra mais do que o ar do lado de fora (pois as vibrações vão e voltam dentro do balão). Essas fortes vibrações amplificam o estalo. O balão age mais ou menos como um alto-falante.

Estique o elástico em volta do papel.

O som depende do tamanho do tambor. Combine tambores de vários tamanhos e faça uma bateria.

141 Tambor frouxo

Cubra uma lata redonda com papel manteiga. Deixe o papel frouxo e prenda com um elástico. Bata no papel com uma colher. O que você ouve?

142 Tambor apertado

Agora estique o papel e recoloque o elástico no lugar. Bata no papel novamente. Como o tambor soa agora?

Bater no papel frouxo não faz o ar vibrar muito, por isso o som produzido é fraco. Bater no papel apertado causa muitas vibrações e por isso o som é muito mais forte.

143 Faça flautas de pã

Os espaçadores facilitam que você sopre em um canudo de cada vez.

1. Pegue sete canudos grossos. Deixe o primeiro canudo inteiro. Corte cerca de 2cm do segundo, 4cm do terceiro e assim por diante.

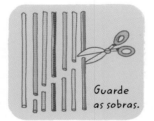

Guarde as sobras.

2. Organize os canudos em uma fileira do mais longo para o mais curto, tendo o cuidado de alinhar a parte de cima. Use as sobras para separar os canudos.

3. Envolva os canudos e os espaçadores com uma volta de fita adesiva.

4. Leve sua flauta de pã à boca. Sopre o canudo mais longo. Como ele soa? Agora tente os outros. O que você percebe?

Os canudos mais longos possuem mais ar dentro deles. por isso fazem um som grave. Quanto mais curto o canudo, menos ar nele, e assim, mais agudo é o som que ele produz. É assim que muitos instrumentos funcionam, incluindo o órgão e a flauta.

Que tal formar uma banda com estes instrumentos e seus amigos?

Líquidos em camadas

Descubra como alguns líquidos se separam em camadas
e como fazer para conseguir misturá-los.

144 Três-em-um

1. Em um copo, coloque
quatro colheres de sopa
de água e algumas gotas
de corante alimentar.

2. Adicione quatro
colheres de sopa
de óleo vegetal
sem misturar.

3. Ponha quatro colheres
de sopa de xarope de
milho sem misturar.
O que acontece?

Quando juntamos a água,
o óleo e o xarope, eles
se separam em camadas,
que se formam de acordo
com a densidade de cada
líquido. O óleo é menos
denso que a água e que
o xarope, então ele fica
por cima. O xarope é
o mais denso, por isso
ele vai para o fundo.

Você pode testar outros
líquidos e ver se eles
se separam em camadas
também. Veja estes
exemplos?

145 Misture tudo

Repita a atividade 144 e, usando uma colher, misture bem
os ingredientes. Espere por cinco minutos. O que acontece?

Azeite de oliva

Água e
corante
alimentar

Xarope

Azeite de oliva

Água e
corante
alimentar

Óleo vegetal

Água e
corante
alimentar

Mel

Óleo vegetal

Água e
corante
alimentar

Detergente

Xarope

146 Outra ordem

Adicione a água, o xarope e
o óleo em uma ordem diferente.
Isso faz alguma diferença?

Não importa a ordem que você despeja os
ingredientes e mesmo se você tentar misturá-
los, eles sempre vão se separar em camadas,
com o óleo em cima e o xarope no fundo.

147 Azeite e vinagre

1. Em um pote pequeno e transparente, coloque três colheres de sopa de azeite de oliva e uma colher de sopa de vinagre.

2. Ponha uma pitada de sal e pimenta.

3. Tampe o pote e agite bem. Espere por cinco minutos. Observe.

Primeiro o azeite parece se misturar ao vinagre. Depois de um tempo eles se separam em camadas. O vinagre vai para o fundo do pote por ser mais denso que o azeite.

Você pode usar a mistura de azeite e vinagre como molho para salada.

148 Adicione uma gema

1. Parta um ovo na sua mão e deixe a clara escorrer pelos seus dedos em uma tigela. Ponha a gema em uma outra tigela e mexa com um garfo.

Lave suas mãos depois de tocar o ovo cru.

2. Repita a atividade 147 e adicione a gema, tampe o pote e agite. O que acontece?

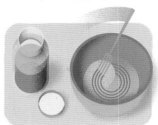

Ao incluir a gema, o vinagre e o azeite não se separam. A gema une os dois. Este tipo de combinação é chamado de emulsão.

Esta mistura de vinagre, azeite e ovo é maionese.

149 Subindo e descendo

1. Encha dois terços de uma garrafa com água. Adicione algumas gotas de corante.

2. Adicione algumas colheres de óleo vegetal.

3. Deixe repousar. Adicione um pouco de sal. O que acontece?

4. Ponha mais sal para continuar observando o efeito da experiência.

O sal vai para o fundo, levando algumas gotas de óleo com ele. Ele então dissolve na água e o óleo torna a subir para a superfície, já que é menos denso que a água. O efeito para quando todo o sal é dissolvido.

Observando a natureza

Atraia animais e observe como eles vivem e se comportam.

150 Comida de borboleta

Misture uma xícara de açúcar com quatro de água. Umedeça pedaços de esponja e coloque em galhos de árvores para as borboletas.

As borboletas têm a boca em forma de tubo para sugar o néctar.

Borboletas se alimentam de um líquido açucarado chamado néctar. A água com açúcar desta experiência é parecida com o néctar das flores... As borboletas vão adorar!

151 Alimentadores para pássaros

Você pode atrair pássaros fazendo e pendurando estes alimentadores no jardim. Veja estas três ideias geniais!

Alimentador 1

Amarre uma pinha a um barbante. Passe manteiga de amendoim nela e role-a em alpiste.

Muitos pássaros comem sementes. Outros preferem frutas, ou nozes. Observe quais os alimentos favoritos de cada espécie. E fique bem quietinho, assim eles vão voltar sempre para comer mais um pouquinho.

Lápis

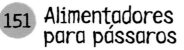

Alimentador 2

Faça dois furos próximos ao fundo de uma garrafa plástica. Passe um lápis pelos furos. Em seguida, faça dois furos maiores acima do lápis. Encha a garrafa com alpiste, feche e pendure.

Alimentador 3

Dê um nó na ponta de um barbante. Passe pedaços de cereal, torrada ou frutas secas por ele e pendure.

152 Faça um minhocário

1. Procure minhocas na terra. Você pode cavar ou encontrá-las debaixo de pedras ou folhas. Encha um vaso de flores com terra e as minhocas.

2. Corte as extremidades de uma garrafa plástica.

Jogue fora esta parte

Jogue fora esta parte

3. Encaixe a parte da garrafa em cima do vaso. Encha a garrafa, intercalando camadas grossas de terra, camadas finas de giz esmagado e pedrinhas.

4. Espalhe folhas e grama por cima. Na lateral da garrafa marque os níveis das camadas com uma caneta hidrográfica.

Garanta que sempre haja um pouco de água no pires.

5. Enrole um papel preto em volta da garrafa e adicione água ao pires. Deixe seu minhocário assim por alguns dias.

6. Passados alguns dias, remova o papel. O que aconteceu com as camadas? Agora, com muito cuidado, leve as minhocas de volta para a terra fofa do jardim.

As camadas estarão misturadas e você verá pedaços de grama e folhas no fundo. Isso ocorre porque as minhocas comem as plantas em decomposição. E enquanto procuram, comem e digerem os alimentos, elas acabam por remexer a terra.

153 Bichos da terra

1. Corte a parte de cima de uma garrafa plástica (sem tampa) e coloque de cabeça para baixo dentro da parte inferior. Encha de terra.

2. Observe a terra. Você vê algum bicho? Ponha uma lanterna sobre a terra. O que acontece? Devolva a terra e os bichos para o jardim.

Muitos bichos como minhocas e besouros vivem na terra. Eles não gostam de luzes ou claridade muito forte, por isso eles fogem da fonte de luz e caem pela abertura da garrafa.

154 Insetos protegidos

Deixe um vaso vazio de cabeça para baixo na terra de um dia para o outro. Levante-o bem quietinho. Você vê alguma coisa?

Muitos bichinhos como besouros, tesourinhas e lesmas gostam de viver em lugares escuros, úmidos e protegidos, por isso o pote virado os atrai.

Experiências com ímãs

Veja estes experimentos incríveis com imãs e objetos:

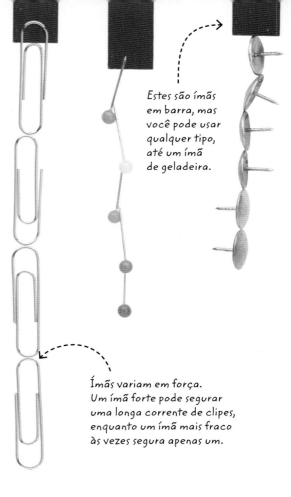

Estes são ímãs em barra, mas você pode usar qualquer tipo, até um ímã de geladeira.

155 Corrente de clipes

1. Balance um clipe de papel metálico perto de um ímã. Ele é atraído?

2. Quantos clipes você consegue pendurar em sequência?

Os ímãs atraem metais como o ferro e o níquel e quase todos os clipes de metal contêm esses materiais, por isso são atraídos para o ímã. A atração provavelmente será forte o suficiente para segurar vários clipes em uma fileira. Quando os clipes se afastam do ímã a atração se torna muito fraca, e você não consegue adicionar outros clipes à cadeia.

Ímãs variam em força. Um ímã forte pode segurar uma longa corrente de clipes, enquanto um ímã mais fraco às vezes segura apenas um.

156 Torre de metal

Coloque um ímã sobre a mesa e empilhe algumas porcas sobre ele. Vá empilhando e veja se você consegue fazer uma torre bem alta. Será que a torre cai se você empurrá-la?

Porcas normalmente contêm ferro ou níquel, por isso o ímã atrai a primeira porca, tornando a torre forte e estável. A atração fica mais fraca a medida que a torre fica mais alta. Por isso a parte de cima cai mais fácil.

157 Força magnética

Coloque uma porca sobre a mesa e leve o ímã até perto dela. A que distância ele precisa estar para que a porca seja atraída? O que acontece se você usar um outro ímã?

Um ímã forte pode puxar a porca de muito mais longe que um ímã mais fraco. Faça o teste.

158 Truque aquático

Jogue um clipe de papel metálico dentro de um copo com água. Você consegue tirar o clipe da água sem molhar seus dedos ou o ímã?

Ímãs funcionam até debaixo d'água, portanto você consegue retirar o clipe arrastando o ímã pela parte de baixo e subindo pela lateral do copo.

159 Truque da mesa

1. Ponha um parafuso dentro de uma caixa de papelão. Mova um ímã pela lateral da caixa. O que acontece?

2. Você consegue mover a caixa arrastando o ímã por debaixo da mesa?

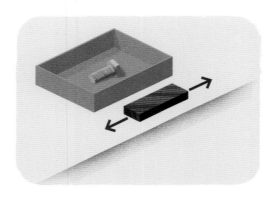

Ímãs funcionam até mesmo através de objetos sólidos como a caixa e a mesa. Isto significa que você pode fazer o parafuso se mover (o que move a caixa) sem tocar em nenhum deles.

160 Metais atraídos por ímãs

Tente usar um ímã para atrair objetos como papel alumínio, uma moeda de cobre e um prego de ferro. Aqui estão algumas sugestões...

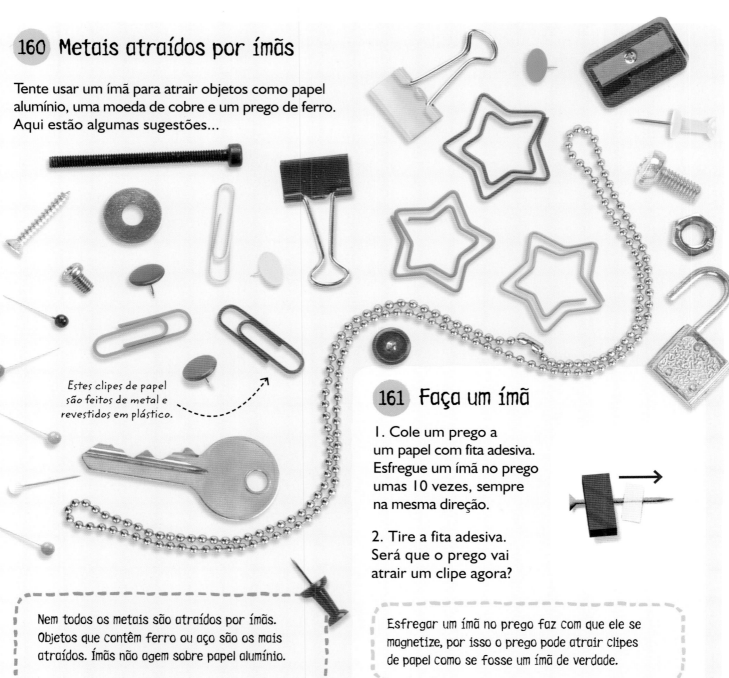

Estes clipes de papel são feitos de metal e revestidos em plástico.

Nem todos os metais são atraídos por ímãs. Objetos que contêm ferro ou aço são os mais atraídos. Ímãs não agem sobre papel alumínio.

161 Faça um ímã

1. Cole um prego a um papel com fita adesiva. Esfregue um ímã no prego umas 10 vezes, sempre na mesma direção.

2. Tire a fita adesiva. Será que o prego vai atrair um clipe agora?

Esfregar um ímã no prego faz com que ele se magnetize, por isso o prego pode atrair clipes de papel como se fosse um ímã de verdade.

Energia eólica

Aprenda como fazer cata-ventos e usar a energia do vento ou energia eólica.

162 Faça um cata-vento

Cada lado deve ter 20cm.

1. Desenhe linhas de um canto à outro em um quadrado de papel. Recorte um quarto de cada linha.

Para fazer uma hélice, puxe cada um dos cantos até o meio, sem dobrar o papel. Cole os cantos no centro do quadrado.

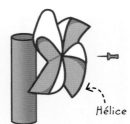

Hélice

3. Prenda o cata-vento a um tubo de papel com uma tachinha. Proteja a ponta afiada com uma bola de massinha adesiva. Sopre a hélice.

Seu sopro move a hélice de papel do cata-vento e o faz girar. O vento age de forma parecida para acionar as turbinas eólicas que produzem eletricidade.

163 Faça um cata-vento reto

Cada lado deve ter 20cm.

1. Desenhe uma cruz em um quadrado de papel. Recorte cerca de um quarto cada linha.

2. Dobre os lados em direção ao centro. Prenda com uma tachinha em um tubo de papelão. Cole massinha adesiva para proteger a ponta afiada.

Esta parte do cata-vento é chamada hélice.

Tachinha

O ar é empurrado contra o papel curvado e isso faz o cata-vento girar.

164 Soprão

Segure seu cata-vento em frente a um secador de cabelos. As hélices giram mais rápido?

Um secador de cabelos sopra mais forte e isso faz com que as hélices girem mais rapidamente.

O ar é empurrado contra os cantos dobrados e faz a hélice se mover.

60

165 Moinho

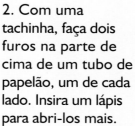

1. Faça hélices quadradas iguais as da atividade 63 e fure na metade com um lápis apontado. Empurre um canudo pelo furo.

2. Com uma tachinha, faça dois furos na parte de cima de um tubo de papelão, um de cada lado. Insira um lápis para abri-los mais.

3. Encaixe o canudo através dos dois furos. Você consegue fazer o canudo girar soprando o cata-vento?

> Quando as hélices giram, o canudo gira também. O canudo age como um eixo ou mastro dentro de um moinho de vento tradicional. O eixo era usado para girar uma grande pedra de moer, que transformava grãos de trigo em farinha, por exemplo.

166 Suspendendo objetos

Use o cata-vento da atividade 165 e amarre um barbante ao canudo, como mostra a figura. Amarre um pequeno objeto, como um apontador, à outra ponta do barbante. Sopre. O que acontece?

> À medida que as hélices giram, o canudo enrola o barbante, levantando o objeto. Isso mostra como a energia eólica pode ser usada para mover e suspender coisas.

167 Suspenda um pote cheio

Repita a atividade 166, amarrando um pote de iogurte vazio ao barbante. Coloque alguns grãos de arroz ou clipes de papel dentro do pote e veja quanto o cata-vento levanta quando você sopra.

Talvez seja preciso fixar a base do cata-vento com fita adesiva para que ele não tombe.

Amarre o barbante atrás das hélices.

À medida que o barbante se enrola no canudo, o apontador é suspenso no ar.

Separando cores

Grande parte das tintas coloridas são uma combinação de diversas cores. A atividade 168 ensina como separá-las. Tente diferentes métodos.

A tinta desta caneta hidrográfica laranja á uma mistura de rosa, laranja e amarelo.

168 Tinta de caneta hidrográfica

1. Corte um filtro de papel para café, deste modo. Trace uma linha acima do fundo com uma caneta hidrográfica.

2. Mergulhe o fundo do papel em um pires com água, garantindo que a linha fique fora da água.

3. Segure o papel por cerca de um minuto e deixe-o secar sobre um jornal. Observe o que acontece.

Normalmente a tinta é feita de uma mistura de cores. Quando o papel absorve a água e ela toca a tinta, a tinta se dissolve, se espalhando e se separando em diferentes cores. Isto é chamado cromatografia.

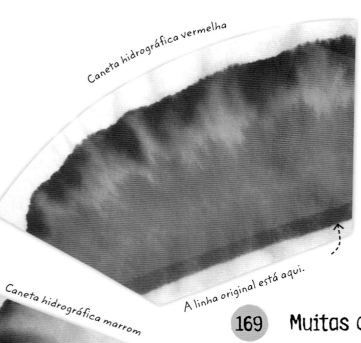

Caneta hidrográfica vermelha

Caneta hidrográfica marrom

A linha original está aqui.

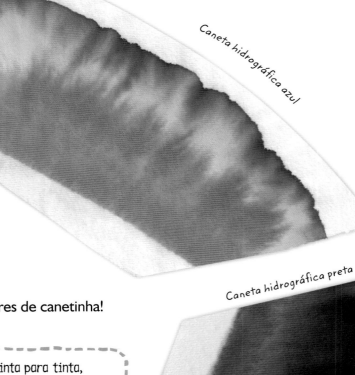

Caneta hidrográfica azul

Caneta hidrográfica preta

169 Muitas cores

Faça o teste com todas as cores de canetinha!

As cores e padrões variam de tinta para tinta, dependendo de sua composição. Algumas cores se dissolvem mais facilmente na água e se espalham mais longe através do papel.

170 Mais alto

Trace uma linha bem no alto de um filtro de papel. Em seguida, mergulhe a parte de baixo do filtro na água, como antes. O resultado é o mesmo?

Esta linha foi desenhada no topo do filtro de papel, mesmo assim a tinta se dissolveu e se espalhou.

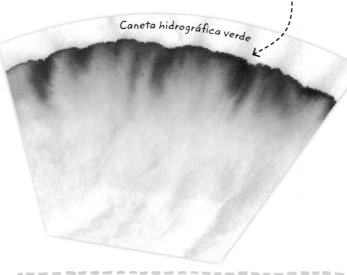

Caneta hidrográfica verde

A água demora mais para chegar à tinta, porém, assim mesmo a tinta se dissolve e se separa como antes.

171 Papel normal

Repita a atividade 168 usando uma folha de papel comum. O que acontece?

172 Outros papéis

Repita a atividade 168 com outros tipos de papel, como papel-toalha ou jornal. Veja como a tinta se espalha.

A tinta não se espalha tão bem em papel sulfite quanto em um filtro de papel, pois o papel sulfite é menos absorvente. A tinta se espalha melhor em papel-toalha porque ele é mais absorvente. Então, quanto mais absorvente o papel, mais rapidamente a água se espalha e a tinta se dissolve e se separa.

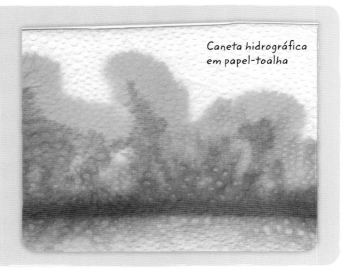

Caneta hidrográfica em papel-toalha

173 Caneta esferográfica

Trace uma linha em um filtro de papel com uma caneta esferográfica. O que acontece desta vez?

Canetas esferográficas possuem tinta à prova d'água. Ela não se separa pois não se dissolve na água.

174 Ponto central

Corte um círculo de papel de filtro de café. Desenhe um grande ponto no meio do papel com uma caneta hidrográfica. Pingue um pouco de água sobre a tinta. O que acontece?

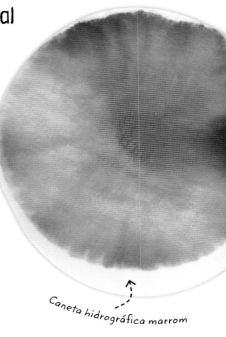

Caneta hidrográfica marrom

As cores se separam e se espalham em todas as direções à medida que a água é absorvida, formando um círculo.

63

Frutas e suco

Até na hora de comer você pode aprender mais sobre ciências. Veja só...

175 Polpa e suco

1. Coloque um pedaço de laranja em uma peneira. Esprema-o com um garfo sobre uma tigela.

2. Prove a polpa que sobrou na peneira, depois prove o suco. Qual tem o gosto mais forte?

> Em uma fruta, a parte que possui mais gosto é o suco, não a polpa.

176 Dura ou macia

1. Aperte um pedaço de uma fruta dura, como uma maçã. Você consegue extrair suco?

2. Agora aperte uma fruta macia, como a framboesa. Qual a diferença?

> Algumas frutas contêm mais suco do que outras. O suco é armazenado em pequenos saquinhos dentro da fruta.
>
> Em frutas duras como a maçã, estes sacos são pequenos e bem difíceis de romper, por isso é mais difícil de extrair o suco.
>
> Já em frutas como a framboesa e a laranja, estes sacos são maiores e fáceis de romper, fazendo o suco sair mais fácil.
>
> Você pode ver os saquinhos:

177 Doce e azedo

Esprema a fruta na peneira.

1. Amasse um pedaço de uma fruta madura, como um pêssego. Ele é azedo ou doce?

2. Esprema um pedaço de limão em um prato e prove seu suco. Compare os sabores.

> Limões possuem açúcar em seu suco, mas eles também possuem muito ácido, o que dá a eles um sabor azedo.
>
> Frutas como pêssegos contêm pouco ácido e muito açúcar, o que dá a elas um sabor mais adocicado.

178 Frutas desidratadas

1. Encha um terço de um copo plástico com bicarbonato de sódio, e o restante com sal. Passe os ingredientes de um copo a outro para misturá-los bem.

2. Corte dois pedaços bem grossos de maçã. Coloque um deles em um copo plástico vazio e cubra com a mistura feita no passo 1.

3. Coloque o outro pedaço de maçã em um copo limpo. Mantenha os dois copos em um lugar que não pegue a luz solar.

4. Uma semana depois, compare os dois pedaços.

O pedaço de maçã que ficou exposto encolheu muito, pois a água em seu suco favoreceu que bactérias crescessem, e por isso a maçã começou a apodrecer. O outro pedaço secou e assim não atraiu bactérias.

Maçã desidratada   Maçã exposta

⚠ Não coma os pedaços de maçã depois da atividade: eles podem fazer mal.

179 Manchas de suco

⚠ Use roupas velhas pois pode manchar!

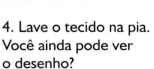

1. Coloque amoras em uma peneira e as esmague com um garfo. Deixe o suco escorrer em uma tigela.

2. Ponha algum tecido de algodão branco sobre um jornal (camiseta velha, lenço ou pano de prato).

3. Pinte um desenho sobre o tecido com o suco de amora e deixe secar.

4. Lave o tecido na pia. Você ainda pode ver o desenho?

Muitas frutas contêm tanino, um tipo de corante. O suco de amora contém tanto tanino que mancha o tecido e não sai na água.

Que tal tentar pintar com suco de laranja ou de tomate?

Direção do vento

Vamos descobrir várias maneiras de testar a direção do vento.

180 Faça uma biruta

Corte quatro pedaços de barbante com o mesmo tamanho.

1. Corte um quadrado de papel de seda e uma tira de cartolina. Cole a tira à parte de cima do papel.

2. Dobre a cartolina formando um círculo e cole as pontas com cola ou fita adesiva.

3. Faça um tubo com o papel de seda e cole. Cole triângulos de papel de seda ao fundo.

4. Cole os barbantes à tira de cartolina e amarre as pontas soltas à uma vareta. Segure a biruta ao vento.

O vento enche a biruta de ar e faz com que ela voe. A direção do vento é a direção de onde o vento sopra, que é oposta à direção para onde a biruta aponta. Em um vento forte a biruta voa horizontalmente e com uma brisa ela se inclina.

181 Construa uma seta de vento

 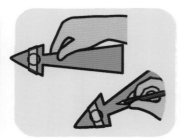 

Fixe uma moeda aqui

1. Recorte uma seta em cartolina e cole uma moeda com fita adesiva. Corte um fio do tamanho do seu braço.

2. Segure a seta entre seus dedos e preste atenção aonde seus dedos estão na hora em que a seta ficar equilibrada. Faça um furo com um lápis neste ponto.

3. Insira o fio através do furo e amarre as pontas. Segure a seta no vento. O que acontece?

O vento sopra mais firme contra a cauda da seta, pois ela é mais larga e tem uma superfície maior do que sua ponta. Isso faz com que a seta gire até que a cauda esteja o mais longe possível do vento, deixando sua ponta virada para a direção do vento.

182 Teste do dedo

Chupe seu dedo indicador e coloque ao vento. Um dos lados parece mais gelado do que outro?

A pele molhada fica mais gelada quando o vento sopra. O lado do seu dedo que parece mais gelado indica de qual direção o vento está vindo.

Se a cauda da biruta aponta para o sul, o vento está vindo do norte.

183 Cabelos ao vento

Gire até que o vento sopre os seus cabelos para longe do seu rosto.

Quando você sente o vento batendo no seu rosto, soprando os seus cabelos para trás, você está de frente para a direção do vento.

184 Bandeira de pano de prato

Pegue um pano de prato e segure-o ao vento por um dos cantos.

O pano balança como uma bandeira, mostrando assim a direção em que o vento está soprando.

185 Faça um cata-vento

1. Corte um quadrado de cartolina e escreva N, L, S, O (norte, leste, sul e oeste) nos cantos no sentido horário, desse jeito:

2. Pegue um lápis com borracha e insira-o bem no meio do quadrado, mantendo as letras para cima.

3. Espete o lápis em um copo plástico e fixe o copo em um prato velho usando massinha adesiva (faça um furo no copo com uma tachinha antes).

4. Corte dois triângulos de cartolina, um maior que outro. Cole os dois a um canudo para fazer uma flecha.

5. Insira uma tachinha através do canudinho na borracha do lápis. Posicione o cata-vento de modo que o N aponte para o norte (use uma bússola).

Quando o vento sopra, a flecha gira e aponta na direção do vento. Olhando as letras no cartão você pode ver de qual direção o vento está soprando.

Folhas e cascas de árvore

Saiba como folhas se alimentam e descubra mais sobre como as plantas crescem.

186 Gravuras de folha

1. Recolha algumas folhas.

2. Ponha uma folha sobre um jornal. Passe tinta no lado áspero dela.

3. Pressione o lado pintado da folha contra um papel para fazer uma impressão. Faça isso duas vezes. Faça mais gravuras com outras folhas.

4. Compare as pinturas. O que todas elas têm em comum?

As linhas nas gravuras são feitas pelos veios das folhas. Os veios são tubos finos que transportam água e alimento através da planta.

68

187 Compare o formato das folhas

Coloque folhas de vários tipos de plantas sobre um papel. Contorne cada folha e veja como todas são diferentes.

Folhas em forma de leque têm espaços entre cada seção.

Algumas plantas têm diversas folhinhas partindo do caule.

Outras possuem um formato bem simples.

Algumas folhas contêm espinhos.

Algumas têm bordas elaboradas.

Algumas têm bordas onduladas.

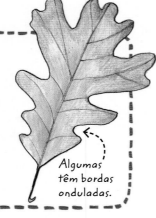

Folhas possuem diferentes formas e tamanhos para ajudar as plantas a resistir em diferentes condições. Plantas obtêm o alimento de suas folhas utilizando e calor luz solar. Algumas folhas têm aberturas para permitir que a luz chegue até a planta. Outras são espinhosas para que animais não as comam.

188 Folhas secas

1. Coloque algumas folhas entre dois papéis. Ponha os papéis com as folhas dentro de um livro. (os papéis vão proteger as páginas do livro).

2. Feche o livro e ponha alguns livros pesados em cima dele. Não mexa nos livros por duas semanas. Retire então as folhas agora secas e prensadas.

3. Compare as folhas prensadas com algumas folhas novas. Qual é a diferença?

Pressionar as folhas as achata e as seca, o que ajuda a preservá-las. Tirando a umidade da folha, ela não se decompõe, mas também as torna mais quebradiças. Sua cor pode desaparecer assim como algumas das partes podem se quebrar.

189 Gravuras de casca de árvore

Segure um papel contra a casca de uma árvore. Usando um giz de cera de lado, esfregue o papel até mostrar o padrão dos relevos da casca. Faça mais gravuras de árvores diferentes e os compare.

A casca é uma camada dura que protege a árvore. O carvalho tem uma casca rugosa e grossa que os impede de secar e isola-os contra o clima quente e frio. Outras árvores têm cascas lisas que se soltam facilmente, como a casca do pé de goiaba, por exemplo. Este tipo de casca é comum em áreas sombrias e úmidas, onde tende a crescer mofo.

Sons fortes

Você sabia que até pequenas vibrações produzem sons?
Descubra como o som viaja e como produzir som.

190 Tubo de sussurro

1. Peça a um amigo para ficar a um braço de distância de você e sussurrar algo. Você pôde ouvir?

2. Agora peça para ele sussurrar em um tubo de papelão. Você pôde ouvir dessa vez?

O sussurro soa muito baixinho, mas o tubo amplia as vibrações, ficando muito mais fácil para ouvir o que seu amigo sussurra.

191 Estouro

Enganche seu dedo médio dentro de sua boca. Feche os lábios e empurre seu dedo para fora em direção a sua bochecha. Tente novamente, mas dessa vez infle suas bochechas.

Quando você faz isso, o ar em sua boca vibra, e faz um som de estouro. Se você infla as bochechas, mais ar vibra, e o estouro soa mais forte.

Vibrações e sons

Os sons são criados por coisas se movendo ou vibrando (veja na página 34). Pequenas vibrações geram sons baixos enquanto grandes vibrações fazem sons mais altos.

192 Teste do batuque

Bata na superfície de uma mesa com seu dedo e ouça o som. Agora, ponha seu ouvido sobre ela e bata novamente. Você pode perceber a diferença?

A batida soa mais forte quando o ouvido repousa sobre a mesa. Isso ocorre porque as vibrações sonoras viajam ainda melhor através de objetos sólidos.

193 Telefone de copos

3. Fixe a outra ponta do barbante no outro copo. Peça a um amigo para levar este copo a outra sala e colocá-lo junto a ouvido e tentar ouvir você.

1. Faça um pequeno buraco na base de dois copos plásticos.

2. Passe um barbante pelo furo de um dos copos e dê um nó na ponta.

Mantenha o barbante bem esticado e sem tocar em nada.

Ao falar no copo, o ar dentro dele vibra. O outro copo então recebe estas vibrações, que viajam ao longo do barbante. E assim o som pode ser ouvido do outro lado, como se fosse um telefone.

194 Megafone

1. Recorte um quadrado de papel cartão ou então três camadas de jornal.

2. Enrole o papel formando um cone. Cole as extremidades com fita adesiva.

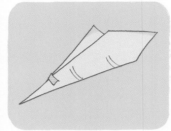

3. Corte a ponta do cone para fazer um bocal. Ajuste a extremidade mais larga, nivelando o cone.

4. Fale ou cante no lado mais estreito do cone. O que acontece?

5. Coloque fones de ouvido perto do lado estreito do cone. Ponha uma música. Ela soa mais forte do outro lado do cone?

Sua voz (ou a música) ecoa através do cone e faz o ar dentro dele vibrar. Isso amplifica o som, fazendo-o soar mais alto.

195 Sons do rádio

1. Ponha um círculo de papel manteiga sobre uma lata redonda sem tampa deixando o papel bem frouxo. Estique um elástico em volta da lata.

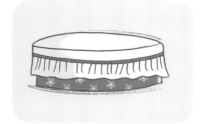

2. Espalhe algumas lentilhas ou grãos de arroz sobre o papel. Coloque a lata perto de um alto-falante e ponha uma música. O que acontece?

O som dos alto-falantes faz vibrar o ar em volta. Isso faz o papel vibrar e faz as lentilhas saltarem.

196 Alto-falante de vidro

1. Ligue a televisão ou rádio, aumente o volume e vá até outro cômodo. Você consegue escutar?

2. Agora, segure um copo de vidro contra a parede entre os ambientes e coloque sua orelha perto dele. O que você escuta?

Vibrações são mais fortes em sólidos do que no ar, então o som viaja mais claramente até sua orelha através da parede e do copo. As vibrações se agitam dentro do copo, fazendo o som ficar mais alto também.

Luz e arco-íris

Saiba como fazer um arco-íris dividindo a luz em cores diferentes.

Use um copo alto para que a luz passe através de bastante água e gere um arco-íris mais nítido.

197 Crie um arco-íris em um copo

1. Esta atividade funciona melhor em um dia de sol. Encha um copo com água.

2. Segure o copo contra a luz do sol e sobre um papel branco.

Um vaso ou jarra funciona também.

3. Gire o copo até que você veja uma leve faixa de cores no papel, este é o seu arco-íris.

> A luz é composta por diferentes cores. Quando a luz brilha através da água, se divide nas cores do arco-íris: vermelho, laranja, amarelo, verde, azul, anil e violeta. É assim que surge o arco íris, quando a luz do sol brilha através de pingos de chuva.

198 Pinte um arco-íris

1. Coloque um copo com água contra luz do sol ao lado de um pedaço de papel. Gire o copo até que um arco-íris brilhe nitidamente no papel.

2. Utilize tintas bem coloridas para pintar uma imagem fiel ao arco-íris que você viu.

199 Faça um arco-íris no escuro

Aponte uma lanterna através de um copo de água em uma sala escura e gire o copo aos poucos até que um arco-íris apareça na parede.

200 Céu na jarra

Adicione meia colher de chá de leite a uma jarra cheia de água. Aponte uma lanterna para a jarra. Você verá um brilho azul-celeste.

> A água leitosa divide a luz em cores diferentes. Algumas cores passam direto pela mistura, mas o azul é refletido pelas minúsculas partículas de leite, criando um brilho azul. Este efeito, conhecido como dispersão, é também o que faz o céu parecer azul.

201 Banho de arco-íris

1. Apoie um espelho dentro de uma travessa cheia de água. Aponte uma lanterna para a parte do espelho que está debaixo d'água.

2. Posicione um papel branco atrás da lanterna. Você pode ver um arco-íris brilhando?

À medida que a luz brilha através da água, ela é dividida nas cores do arco-íris. O espelho reflete o arco-íris de volta para que você possa vê-lo no papel.

202 Arco-íris externo

Você pode fazer um arco-íris ao ar livre. Encha uma garrafa de spray com água e borrife em direção ao sol. Olhe para a água borrifada. Você vê um arco-íris?

O mesmo efeito aparece nos irrigadores de jardim em um dia ensolarado.

203 Papel de arco-íris

Encha uma tigela com água, adicione algumas gotas de esmalte de unhas e espalhe-as com um palito. Mergulhe um papel preto na tigela, em seguida leve-o para fora e deixe secar. Incline o papel ao sol. O que você vê?

O esmalte forma finas camadas brilhantes no papel. Quando a luz é refletida nessas camadas, ela se divide em cores diferentes, gerando padrões de arco-íris.

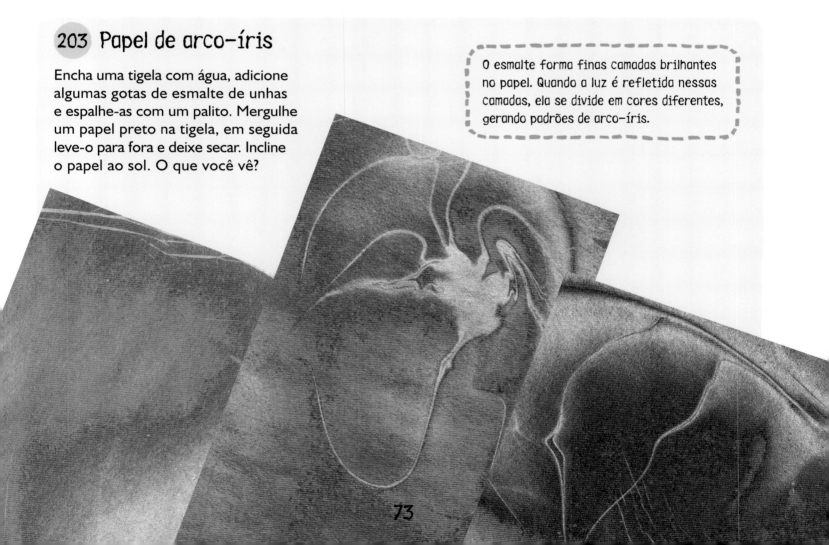

Impressões digitais

Saiba como coletar impressões digitais e usá-las para identificar as pessoas.

204 Faça impressão de talco

1. Pressione um dos seus dedos em um copo de vidro. Em seguida, polvilhe um pouco de talco sobre um prato.

Fica mais fácil se os seus dedos estiverem gordurosos.

2. Ponha um pincel de cerdas macias no talco e pincele o copo de maneira delicada. Retire o excesso.

3. Coloque a parte adesiva de uma fita sobre a impressão digital, retirando-a em seguida.

4. Pressione a fita em um pedaço de papel escuro e remova-a. O que você vê?

Você verá uma impressão digital branca no papel. Pois a pele de seus dedos é composta de um padrão de sulcos, coberto por suor e óleos do seu corpo. Estas linhas deixam uma marca oleosa no vidro, e o pó adere a ela. A impressão é então transferida para o papel pela a fita.

Você pode fazer esta atividade novamente usando outros tipos de pó fino, como a farinha. Você também pode usar cacau em pó em um papel branco.

205 Procurando pistas

Procure por impressões digitais em objetos de sua casa. Se não for possível vê-las facilmente, pincele um pouquinho de talco ou pó de giz na superfície. Será que algumas superfícies revelam impressões digitais mais facilmente do que os outras?

Sem perceber, as pessoas deixam impressões digitais em todos os tipos de coisas. As impressões digitais aparecem mais claramente em materiais lisos, tais como copo, plástico e metal.

206 Impressões de tinta

1. Derrame um pouco de tinta escura em uma esponja velha.

2. Pressione suavemente um de seus dedos na tinta da esponja.

3. Pressione seu dedo em um papel branco. Repita algumas vezes.

Um padrão de linhas e sulcos de seu dedo deve aparecer claramente na impressão. Um método bem semelhante é usado para tirar as impressões digitais nos aeroportos e para sua carteira de identidade.

207 Padrões diferentes

Recolha impressões digitais de pessoas diferentes. Compare-as. Existem padrões semelhantes? Talvez idênticos?

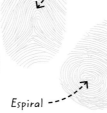

Arco

Laço

Espiral

Algumas impressões digitais têm formas semelhantes. Existem três tipos principais: laço, arco e espiral. Mas todo mundo tem um padrão único de impressão digital, o que significa que não existem impressões digitais exatamente iguais. Até mesmo as de gêmeos são diferentes.

208 Impressão de quem?

Identifique as impressões digitais da atividade 207 com o nome de cada pessoa. Saia da sala, e peça que uma delas crie uma nova impressão. Você consegue descobrir quem a fez?

Você deve ser capaz de identificar quem fez a impressão olhando atentamente para o padrão de impressão digital. Use uma lupa.

209 Impressão de mãos

Pinte a palma da sua mão, em seguida, pressione-a firmemente em um papel branco. Tire algumas impressões de outras pessoas também e compare os padrões.

Existem fortes linhas na palma da sua mão, que são únicas. Duas pessoas não possuem o mesmo padrão de linhas. Estas impressões podem ser usadas pela polícia para identificar criminosos.

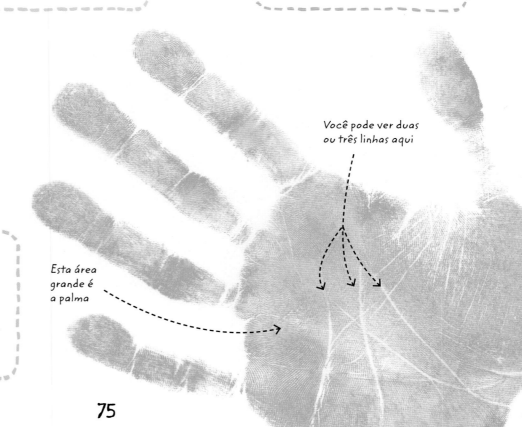

Você pode ver duas ou três linhas aqui

Esta área grande é a palma

Tingindo e descolorindo

Muitas plantas contêm ingredientes naturais que podem manchar ou descolorir. Descubra como você pode usá-las para fazer suas próprias tintas.

 Peça a um adulto para ajudar você nestas atividades. Use um avental, e cubra a mesa com jornais velhos.

210 Marrom-chá

Retire os saquinhos da caneca.

1. Coloque água quente até a metade de uma caneca com cinco saquinhos de chá. Misture e deixe esfriar.

2. Faça uma tartaruga com um pincel molhado na mistura.

Chá e café tingem o papel de marrom. As folhas de chá contêm um ingrediente chamado tanino, que gera tal cor. O café faz um marrom mais escuro, e é por isso que ele aparece sobre o chá.

211 Marrom-café

1. Coloque três colheres pequenas de café instantâneo e duas de água quente em uma xícara pequena.

2. Mexa bem e use para desenhar acabamentos na sua tartaruga.

212 Descolorante de limão

Use um pincel limpo para fazer pontos de suco de limão no meio dos detalhes escuros. O que acontece?

O suco de limão atua como um clareador natural: ele remove a cor, gerando assim uma mancha mais clara.

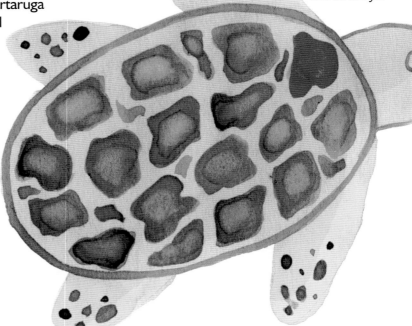

Somente corantes naturais como chá, café e limão foram usados para pintar esta tartaruga.

213 Amarelo-caril

Coloque duas colheres de chá de caril em pó ou cúrcuma em uma caneca com duas colheres de sopa de água. Misture bem. Em seguida, pinte o fundo do mar.

214 Laranja-cebola

1. Descasque três cebolas e ponha as cascas em uma panela.

2. Cubra com água. Aqueça até ferver por 15 minutos.

3. Espere esfriar, coe em um pote e use o líquido para pintar os peixinhos.

215 Vermelho-beterraba

1. Ponha duas beterrabas cruas e picadas em uma panela. Cubra com água e deixe ferver por cerca de 15 minutos. Espere esfriar.

2. Retire a beterraba e despeje o líquido em um frasco (você pode comer a beterraba em uma salada).

3. Faça listras e detalhes nos peixes. Dilua então a tinta para fazer peixes cor-de-rosa.

216 Verde-folha

Ponha grama e folhas de espinafre picado em uma panela com 5cm de água, leve ao fogo e deixe ferver por 30 minutos. Depois de esfriar, coe o líquido em um frasco. Use-o para pintar algas.

Você pode usar o suco de beterraba em conserva.

O caril em pó produz um corante amarelo. As cascas da cebola produzem um corante laranja. A beterraba faz um corante vermelho e a grama ou o espinafre vão te dar um lindo verde amarelado.

Fazendo chover

Descubra como a água se transforma em nuvens e depois em chuva.

217 Faça uma nuvem na garrafa

1. Encha um terço de uma garrafa plástica transparente com água morna e coloque a tampa. Agite bem.

2. Remova a tampa. Peça a um adulto para acender um fósforo e colocá-lo dentro da garrafa. Tampe.

3. Aperte e agite a garrafa durante 20 segundos. Em seguida, desaperte-a lentamente. O que acontece? Aperte e solte-a novamente. O que você vê?

Agitar ajuda a água a se transformar em vapor.

Quando você aperta e agita a garrafa, vapor se forma dentro dela. Quando você solta a garrafa, este vapor se transforma em uma nuvem feita de gotas de água. As partículas na fumaça do fósforo ajudam as gotas a se formar. Quando você aperta a garrafa novamente, a nuvem se transforma em vapor e desaparece.

Apertando a garrafa você aumenta a pressão e a temperatura, transformando as gotículas em vapor. Ao soltá-la o vapor torna a se transformar em gotas de água.

O ciclo da chuva

As nuvens e a chuva são formadas assim:

CONDENSAÇÃO

2. O vapor de água se resfria e se transforma em gotas de água.

3. As gotículas de água formam uma nuvem.

EVAPORAÇÃO

1. A água quente se transforma em vapor. O ar quente sobe, levando o vapor.

4. Gotas de água caem em forma de chuva.

Mar

218 Chuva no pote

Encha meio pote de vidro com água quente. Cubra com papel alumínio. Após um minuto coloque cubos de gelo sobre o papel. O que acontece?

A água quente se transforma em vapor e sobe. O papel alumínio gelado esfria o vapor que volta a se transformar em gotículas de água, que caem como chuva.

219 Condensação

Despeje um pouco de água quente em um copo de vidro e cubra com um copo plástico. Espere um minuto. O que você vê dentro do copo plástico?

A água quente transforma-se em vapor e sobe. À medida que sobe, o vapor esfria e forma gotículas de água no interior do copo. Isto é conhecido como condensação.

220 Fazendo orvalho

Encha um copo de vidro com gelo até a metade e adicione água o suficiente para cobrir o gelo. Observe o exterior do copo. O que você vê?

Você verá gotículas de água na parte de fora do copo. O ar contém sempre algum vapor de água. Quando o vidro fica frio, o vapor de água do ar se transforma em gotas de água. O orvalho se forma de uma maneira semelhante.

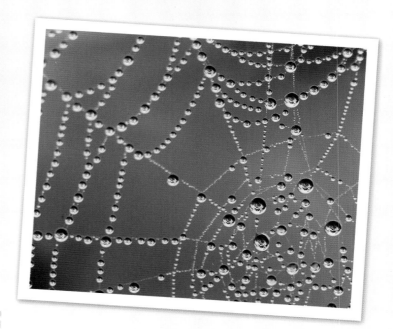

221 Vaporizando

Coloque um pequeno espelho na geladeira por 15 minutos. Retire-o e sopre sobre ele. O que acontece?

Há vapor de água na sua respiração. Quando este vapor atinge o espelho frio, forma gotículas de água na superfície.

Olhe para gotas de orvalho na grama, flores ou teias de aranha no início da manhã. O orvalho se forma quando o vapor de água no ar toca coisas frias e se transforma em gotículas.

222 Faça um pluviômetro

1. Retire a tampa de uma garrafa plástica. Corte e vire a parte de cima para fazer um funil. Fixe-o na parte inferior com fita adesiva.

2. Coloque o seu pluviômetro em uma área aberta para que possa coletar a chuva. (Faça uma fileira de pedras em torno dele para que não vire).

3. No dia seguinte, meça a profundidade da água com uma régua. Esvazie então a garrafa.

4. Meça a chuva todos os dias no mesmo horário durante uma semana. Registre seus resultados em um gráfico, como este.

	cm
Segunda	5
Terça	2
Quarta	3
Quinta	0
Sexta	1
Sábado	2
Domingo	2.5

Chuva em cm

Dispor resultados em um gráfico nos ajuda a verificar as variações diárias de precipitação. Você pode continuar registrando os dados da chuva durante várias semanas ou meses observando como ela varia em um período mais longo de tempo.

Força do ar

Veja só como você pode usar o ar para mover objetos.

223 Faça um carro de corrida de balão

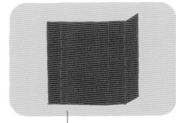

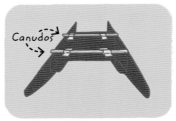

Use um palito de churrasco para alargar os furos.

1. Recorte um quadrado de cartolina. Dobre uma tira de cada lado.

2. Recorte duas laterais de carros de corrida e cole-os com fita às tiras dobradas.

3. Fixe dois canudos à parte de baixo da cartolina com fita, deste jeito.

Canudos

4. Com uma tachinha, fure no centro de quatro tampas de garrafa de plástico.

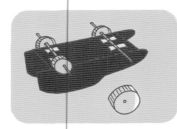

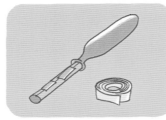

5. Deslize palitos de churrasco através dos canudos e encaixe as tampas na ponta de cada palito.

6. Faça um tubo de cartolina, prenda com fita e deslize-o para dentro de um balão comprido. Cole o balão ao tubo com fita.

7. Bote a fita adesiva frouxamente sobre o tubo e cole-o ao carro. Encha o balão e aperte o tubo. Solte então a ponta do tubo.

O ar preso no balão tenta escapar. Quando você o solta, ele empurra o carro para frente.

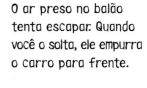

Que tal disputar uma corrida com seus amigos?

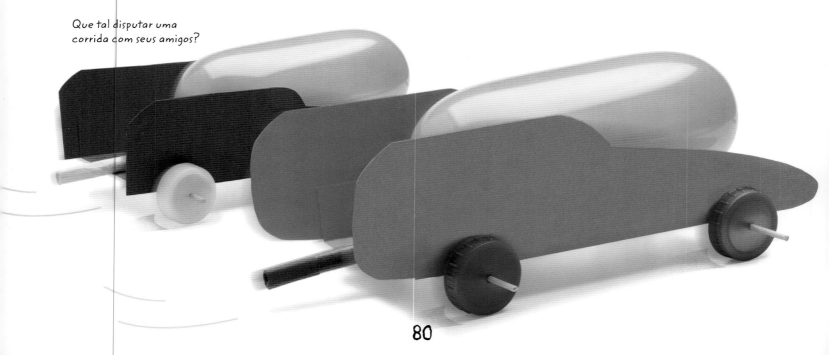

224 Batendo asas

1. Corte uma tira de papel grosso com a parte superior arredondada. Em seguida, desenhe um pássaro no topo do papel.

2. Dobre a tira na base para fazer uma aba. Prenda-a à mesa com fita de modo que o papel fique de pé.

3. Coloque uma garrafa em frente da ave. Sopre na garrafa. O que acontece?

A garrafa está no caminho, mas seu sopro flui em torno dos lados curvados até o papel, fazendo o pássaro balançar.

225 Colchão de ar

1. Coloque uma camada de massinha adesiva na base da tampa de uma garrafa esportiva. Fixe-a sobre o furo de um CD velho.

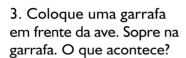
Tampa de garrafa esportiva

2. Encha um balão. Encaixe a boca do balão sobre a tampa. Coloque o CD sobre uma superfície lisa. Abra a tampa coberta com balão e assim empurre o disco para frente.

O balão deve ficar cheio quando a tampa está fechada.

O disco deve deslizar suavemente. Uma vez que a tampa está aberta, o ar escapa para fora do balão através dela, formando um colchão de ar sob o disco. Ele flutua no ar como um aerodeslizador, até que o balão esvazie.

226 Bolinha flutuando

1. Recorte um círculo de papel. Faça um corte até o centro e sobreponha os lados para formar um cone.

2. Cole o cone com fita adesiva e corte uma pequena parte da ponta.

Cole o cone de ambos os lados.

3. Coloque o lado mais curto de um canudo dobrável dentro do furo.

4. Use massinha adesiva para fixar o canudo no interior do cone e também para tampar algum eventual espaço.

Massinha

5. Faça uma bolinha de papel alumínio e ponha-a no cone sobre o canudo. Sopre através do canudo.

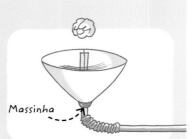
Massinha

À medida que você sopra, uma corrente de ar flui sob a bolinha fazendo-a flutuar. O ar também flui para os lados do cone e faz uma almofada de ar. Quando a bola cai nesta almofada de ar, a bola salta.

Teatro de Sombras

É hora de descobrir mais sobre a luz e as sombras.

227 Mãos de sombra

1. Direcione uma lâmpada forte à parede de um quarto escuro.

2. Ponha as mãos em frente à luz, e projete um pássaro na parede.

3. Veja outras ideias de animais: Coelho, veado ou elefante.

As sombras são a ausência de luz. A luz viaja em linha reta, então quando você põe suas mãos em frente à lâmpada, você bloqueia a luz no formato de suas mãos. Isso faz com que a sombra apareça.

228 Olhos brilhantes

1. Trace um morcego bem simples em um pedaço de cartolina. Recorte-o.

2. Fure com o lápis para fazer os olhos. Cole um canudo com fita adesiva.

3. Segure o morcego entre a luz e a parede e conte uma história de arrepiar!

Assim como as suas mãos na atividade 227, o morcego de cartolina bloqueia a luz, criando a sombra.

82

229 Mandíbula de crocodilo

1. Desenhe a cabeça de um crocodilo em duas partes. Recorte e faça um furo com o lápis, para o olho.

2. Una as duas partes com um prendedor de papel. Fixe um canudo com fita adesiva para segurar a cabeça e outro para mover a mandíbula.

3. Mova os canudos para baixo e para cima e imite o bramir de um crocodilo furioso!

A luz é bloqueada pelo crocodilo de cartolina. Por isso, mesmo movendo a mandíbula do crocodilo, a luz é bloqueada, fazendo com que a sombra "imite" os movimentos do animal. Que tal criar outros personagens para esta história?

230 Longe e perto

1. Ponha sua mão entre a lâmpada e a parede. Aproxime a mão da lâmpada. O que acontece com a sombra?

2. Agora afaste sua mão da lâmpada. O que acontece?

A luz se espalha em linhas retas a partir da lâmpada. Quando sua mão está perto da lâmpada, ela bloqueia muita luz e a sua sombra parece maior. À medida que você afasta a mão da fonte de luz, ela bloqueia menos luz, e a sombra encolhe.

231 Luz em ângulo

1. Aponte uma lanterna diretamente para a parede. Ponha sua mão em frente à luz. Como é a sombra?

2. Agora, incline a lanterna e faça sombra com sua mão. Qual a diferença?

Se compararmos a lanterna inclinada com a lanterna apontada em linha reta, percebemos que: Quando o foco de luz incide em ângulo, o formato da sombra estica conforme o ângulo.

Ciência dos alimentos

Você sabia que até na hora de cozinhas usamos a ciência? Dê só uma olhada...

232 Chantilly

Bata por 3 minutos na batedeira ou 5 minutos à mão.

Você pode usar o chantilly na atividade 234.

1. Leve uma lata de creme de leite a uma tigela. Bata à mão ou com a batedeira.

2. Bata até a consistência mudar. Como o creme de leite se transformou?

Ao ser batido, o creme de leite se torna mais sólido, pois ao bater criamos bolhas de ar que ficam presas pela gordura do creme. O creme de leite, agora espesso e espumoso, ocupa mais espaço na tigela.

233 Clara em neve

1. Parta o ovo em sua mão, sobre uma tigela. Afaste ligeiramente os dedos para deixar a clara escorrer. Sempre lave as mãos após mexer em ovo cru.

2. Bata a clara com uma batedeira ou à mão até que ela comece a ficar fofa e esbranquiçada. Continue batendo até que ela forme picos.

A clara de ovo contém uma grande quantidade de proteína. Batê-la cria bolhas de ar que são envolvidas pela proteína, fazendo com que a clara se transforme em uma espuma.

234 Creme gelado de morango

150 ml de chantilly
250g de morangos picados
2 gotas de essência de baunilha
½ colher de sopa de suco de limão
2 colheres de sopa de açúcar de confeiteiro

1. Em uma tigela, misture lentamente todos os ingredientes.

2. Reparta a mistura em potinhos e em seguida, leve ao congelador.

3. Deixe os potes no congelador por duas horas. Retire e mexa a mistura. Leve ao congelador novamente e deixe até ficar bem firme. Agora é só comer!

Congelar a mistura a torna sólida. Mas como você mexeu durante o congelamento, ela ficou mais cremosa. Até parece um sorvete!

235 Ovo cozido

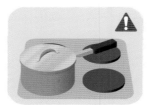

Verifique se a água está cobrindo o ovo.

1. Coloque um ovo em uma panela de água fria. Tampe a panela e leve ao fogo até começar a ferver.

2. Desligue o fogo e deixe o ovo na panela por 15 minutos. Transfira o ovo para uma tigela de água fria.

3. Bata no ovo com uma colher para quebrá-lo e retire a casca. Corte o ovo ao meio. O que você vê?

O calor faz com que a gema e a clara, antes líquidas, se solidifiquem. Os ovos contêm muita proteína, que se modifica com o calor, se aglutinando e endurecendo.

236 Manteiga

1. Encha um pote de vidro até a metade com nata e coloque a tampa.

2. Agite o pote por cerca de 15 minutos. Ao agitar o vidro, você vai ver a nata se transformando em manteiga.

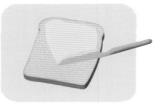

3. Fazer manteiga dá uma fome que só! Que tal uma fatia de pão fresquinho com sua própria manteiga caseira?

A nata contém uma grande quantidade de gordura. Quando você chacoalha a nata, a gordura começa a se acumular para formar a manteiga, que é sólida. O líquido deixado para trás, chamado leitelho, ou soro, contém pouca gordura.

237 Plástico de leite

1. Coloque um copo de leite em uma panela. Aqueça o leite, mas não deixe ferver.

2. Desligue o fogo. Acrescente duas colheres de sopa de vinagre e misture até formar grumos.

3. Despeje o leite em uma peneira fina em cima da pia.

4. Recolha os grumos e aperte-os, criando diferentes formas. Deixe-os secar sobre um jornal por dois dias (não os coma).

Você também pode cortar com cortadores de biscoito.

O leite contém uma proteína chamada caseína. Quando você adiciona o vinagre ao leite quente, a caseína se aglomera e endurece ao secar.

Você sabia que alguns botões são feitos de caseína?

Equilibrando borboletas

Aprenda mais sobre pontos de equilíbrio
fazendo estas borboletas equilibristas.

Tente equilibrar
a borboleta em
um galho.

Pontos de equilíbrio

O ponto de equilíbrio de um
objeto é o ponto onde ele fica
fixo sem cair. Isto acontece
quando o peso de todas as
partes estão distribuídas
uniformemente em torno
do ponto de equilíbrio.

238 Faça uma borboleta

Moedas sob a asa

1. Desenhe uma
borboleta em uma
cartolina e recorte.

2. Fixe uma moeda
na parte dianteira
de cada asa com fita.

3. Apoie a cabeça da
borboleta num copo.
Você pode equilibrá-la?

A borboleta vai estabilizar em seu ponto
de equilíbrio. O peso das moedas move
o ponto de equilíbrio da borboleta,
trazendo-o mais para a frente.

239 Adicionar mais peso

Cole uma moeda extra
em cada um dos lados
da sua borboleta.
E agora, onde ela
se equilibra?

Ao colar mais moedas,
o ponto de equilíbrio
muda de lugar.

Tente equilibrar
sua borboleta na
ponta de um lápis.

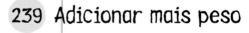

240 Mude o peso

Faça outra borboleta como da atividade 238. Cole uma moeda sob a ponta da asa e outra no meio. Agora tente equilibrá-la. Onde está o ponto de equilíbrio?

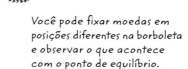

O ponto de equilíbrio será entre as duas moedas, onde o peso é igual em ambos os lados.

Você pode fixar moedas em posições diferentes na borboleta e observar o que acontece com o ponto de equilíbrio.

241 Limpador de cachimbo torcido

Dobre um limpador de cachimbo em "U" achatado e depois torça-o no meio. Tente equilibrá-lo em um cabide.

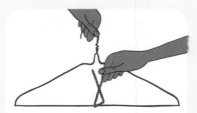

Você não vai conseguir equilibrar essa forma no cabide. O ponto onde o peso é centrado é muito longe da base, o que o torna instável.

242 Limpador de cachimbo "balanço"

Pegue o limpador de cachimbo torcido da atividade 241 e dobre suas hastes para baixo. Será que ele vai se equilibrar?

É mais fácil equilibrar o limpador assim, pois o ponto em que o seu peso é centrado se encontra abaixo da base. Isso torna muito mais estável.

243 Balanço com contas

Adicione uma ou duas contas em cada ponta do limpador da atividade 242. O que acontece?

As contas aumentam o peso das hastes. Isso deixa o limpador de cachimbo mais estável.

244 Gangorra

Corte uma tira de cartolina, dobre-a em três e cole as pontas, formando um triângulo. Tente equilibrar uma régua na triângulo.

A régua se equilibra no meio, onde seu peso é igual de ambos os lados. Ou seja, o peso está repartido.

Imagens em movimento

Veja como estes desenhos enganam seu cérebro e parecem estar em movimento.

245 Faça um desenho animado

1. Corte catorze pequenos retângulos de um papel fino. Forme uma pilha e grampeie uma das extremidades.

2. Com uma caneta preta, desenhe e pinte um grande quadrado na última folha. Vire para a página anterior.

3. Desenhe e pinte um quadrado um pouco menor a cada página, continuando assim até completar todas as folhas.

4. Quando terminar de desenhar em todas as páginas, segure a ponta grampeada e folheie o livro. O que você vê?

246 O boneco palito

1. Faça outro livro. Desenhe um boneco palito na última página. Faça outro boneco na página anterior, mas mude um pouco sua posição.

2. De trás para frente, continue desenhando o boneco, mudando um pouquinho sua posição a cada folha. Folheie.

À medida que você folheia as páginas, o quadrado parece aumentar gradualmente. Seus olhos e cérebro misturam os desenhos, por isso você não percebe as páginas virando.

Seu cérebro combina as imagens em cada página, de tal modo que a figura parece estar se movendo.

Copie esta sequência de para fazer o boneco saltar e virar estrela. - - -

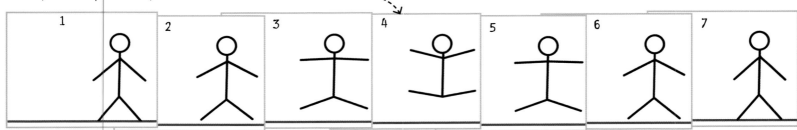

Cada nova posição deve ser parte de uma seqüência gradual, assim. *

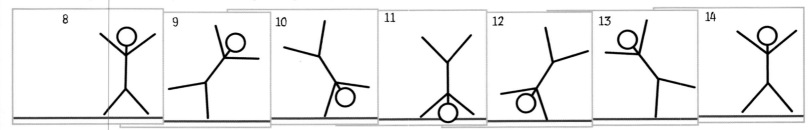

* Você poderia copiar estes bonecos ou inventar outro personagem para sua história!

247 Teia da aranha

1. Contorne uma caneca em um pedaço de cartolina e recorte.

2. Desenhe uma teia em um dos lados e uma aranha do outro.

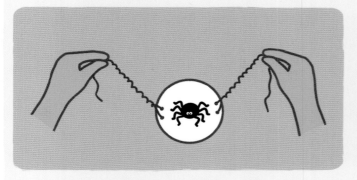

Faça os furos com um furador de papel.

3. Faça dois pares de furos e passe um barbante em cada par.

4. Segure o barbante e vá girando o círculo até que o barbante esteja completamente torcido.

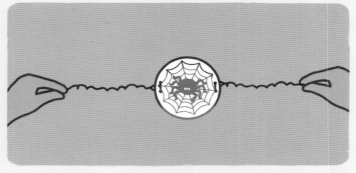

5. Em seguida, puxe o barbante com as duas mãos. O que você vê?

À medida que o círculo gira, seus olhos vêem uma imagem após a outra em rápida sucessão. Isso acontece tão rapidamente que seu cérebro não pode separar as imagens, de modo que a aranha parece estar na teia.

248 Faça uma roleta mágica

1. Contorne uma caneca em cartolina. Recorte o círculo e o divida em oito partes iguais.

2. Pinte as seções assim: três de verde, três em vermelho e duas de azul. Faça um furo no meio.

3. Passe um lápis pelo furo. Segure o lápis entre as mãos e gire bem rápido. O que você vê?

O círculo gira tão rápido que o seu cérebro não consegue separar as três cores. Em vez disso, elas parecem se misturar umas às outras e por incrível que pareça você acaba vendo a cor branca ou um tom de cinza claro.

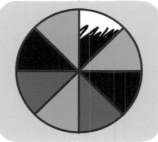

Testando ácidos e bases

Todas as substâncias são ácidas, bases ou neutras. As bases são o oposto de ácidos. Você pode fazer um líquido de repolho roxo, chamado indicador, e assim identificar o tipo das substâncias.

Repolho roxo

O repolho roxo contém uma substância que muda de cor quando é misturada a ácidos ou bases. Ácidos a tornam vermelha, enquanto bases a tornam azul ou até mesmo verde.

249 Indicador de repolho roxo

1. Ponha um pouco de repolho roxo picado em uma tigela refratária. Em seguida, despeje água fervente por cima.

2. Deixe de molho por 10 minutos e então coe com uma peneira para separar o líquido do repolho.

3. Coloque uma colher do líquido indicador em outra tigela e adicione uma colher de vinagre. O que acontece?

Água e repolho.

Água de repolho e vinagre

O vinagre é ácido. Ele reage com a água do repolho e a faz mudar de cor.

250 Suco de limão

Coloque uma colher de água de repolho em uma tigela. Em seguida, adicione uma colher de suco de limão. O limão é um ácido ou base?

Repolho roxo, água e limão

O suco de limão torna o indicador vermelho, o que significa que o suco de limão é um ácido.

251 Bicarbonato de sódio

Misture uma colher de bicarbonato de sódio com uma colher de indicador de repolho roxo em uma tigela. Qual a cor da mistura?

Água de repolho roxo e bicarbonato de sódio

Bicarbonato de sódio torna o indicador azul, mostrando que ele é uma base.

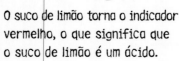

252 Leite de magnésia

Experimente misturar uma colher do indicador e uma colher de leite de magnésia. (Você pode comprar leite de magnésia nas farmácias ou supermercados).

O leite de magnésia torna o indicador verde, mostrando que é uma base fraca.

Água de repolho e leite de magnésia

253 De base a ácido

1. Coloque um pouco de indicador numa tigela e adicione bicarbonato de sódio até mudar de cor.

O bicarbonato de sódio borbulha ao ser misturado com vinagre. (Veja mais nas páginas 10-11)

2. Em seguida, ponha um pouco de vinagre. Continue colocando mais. Você consegue fazer a cor mudar?

A base (bicarbonato de sódio) torna o indicador azul ou verde. Se você adiciona bastante ácido (vinagre), você pode mudar a cor para vermelho, passando pelo roxo.

254 Água pura

Adicione uma colher cheia de água à uma colher do indicador. O que acontece?

Água de repolho e água

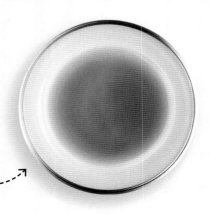

A água pura é neutra. A água da torneira muitas vezes tem traços de outras coisas, geralmente fracos demais para mudar o indicador – assim nada acontece.

255 Limpeza

1. Ponha um pouco de refrigerante à base de cola em um copo. Jogue uma moeda de cobre suja dentro dele.

2. Deixe a moeda de molho durante toda a noite. Ao amanhecer, retire a moeda do copo. O que aconteceu?

Com o tempo, as moedas se cobrem de uma camada opaca de óxido de cobre, que é uma base. O ácido presente neste tipo de refrigerante remove a base, deixando o metal brilhante novamente.

Teste seus sentidos

Nossos sentidos são: o paladar, o olfato, a visão, a audição e o tato.
Faça estas experiências para saber sobre como eles funcionam.

256 Paladar e olfato

1. Descasque uma maçã e uma pera firme. Corte as duas frutas em pedaços do mesmo tamanho.

2. Feche seu nariz e seus olhos. Misture os pedaços das frutas e coma um. Qual fruta você comeu?

3. Coma o pedaço que sobrou. Será que agora ficou mais fácil adivinhar se é a maçã ou a pera?

> Usamos nosso olfato para sentir o gosto. É muito mais difícil de identificar os sabores se você não pode sentir o cheiro ou ver o que está comendo.

257 Quatro sabores básicos

1. Em tigelas diferentes, coloque: suco de limão, molho de soja, café preto frio e de água açucarada.

2. Feche seu nariz e seus olhos. Mergulhe o dedo em uma das tigelas e prove.

3. Tente de novo com os outros três líquidos. Você pode sentir a diferença entre eles?

> Você consegue reconhecer sabores básicos como: DOCE, AZEDO, SALGADO e AMARGO, mesmo sem ver ou cheirar.

258 Um olho ou dois?

1. Segure um lápis com borracha em cada mão, com as borrachas viradas para dentro.

2. Feche um dos seus olhos e tente encostar as duas borrachas. Conseguiu?

3. Agora, abra os dois olhos e tente novamente. É mais fácil desta vez?

> É mais difícil encostar as borrachas com um olho fechado. Dois olhos dão uma melhor noção de distância, por isso, fica mais fácil unir as borrachas.

259 O que você escuta?

Sem o sentido da visão, você acredita que pode sintonizar melhor sua audição. Por isso, você ouve sons que não havia percebido com os olhos abertos.

Piu, piu!

Quá, quá!

Olá

Au, au!

Trimm!

Buááá!

1. Sente-se perto de uma janela aberta. Ouça os sons que vêm de fora. Quais os sons que você consegue ouvir?

2. Ainda sentado, agora feche os olhos e ouça de novo. Você pode ouvir mais coisas desta vez?

260 Tato

1. Dobre um clipe de papel em "U". Feche os olhos e peça para um amigo para pressionar UMA ponta ou DUAS suavemente contra a palma da sua mão...

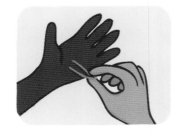

2. ...sua testa...

3. ...e seu braço.

Você consegue sentir quantas extremidades estão tocando você em cada lugar?

261 Teste de tato

Junte vários objetos (bola de tênis, pinha, esponja e maçã). Feche os olhos e peça para um amigo alcançar um desses objetos. Só com o tato você consegue adivinhar o que é?

Algumas partes do corpo são mais sensíveis ao toque do que outras pois possuem mais sensores de toque. As palmas de suas mãos possuem muitos sensores, por isso você pode sentir ambas as extremidades do clipe de papel. Seu braço não tem tantos, por isso você talvez não saiba dizer se uma extremidade ou duas estão tocando sua pele.

A forma e a textura de alguns objetos os torna mais fáceis de identificar pelo toque do que outras.

Poder de giro

Saiba como você pode usar a água e energia armazenada para mover coisas.

262 Faça uma roda d'água

1. Pegue oito potes de iogurte vazios. Coloque a abertura de um dos potes na borda de um prato de papel e grampeie-o ao prato.

2. Grampeie todos os outros potes ao redor do prato, assim. Em seguida, grampeie um prato do outro lado.

3. Use uma tachinha para fazer um furo no meio de cada prato. Mova um palito de churrasco através dos furos e equilibre a roda em um balde.

4. Coloque o balde no tanque ou no jardim. Usando uma jarra, garrafa ou mangueira, despeje a água continuamente de um lado da roda. O que acontece?

Como a água enche cada pote, o pote fica mais pesado e desce, fazendo a roda girar. A roda irá continuar girando enquanto a água continuar fluindo.

Você pode usar círculos de cartolina ao invés de pratos de papel. Esta roda d'água tem uma camada de papel decorado cobrindo um círculo de papelão.

263 Roda d'água invertida

Agora, comece a verter água pelo outro lado da roda. O que acontece?

Ao despejar água pelo outro lado da roda você faz com que ela mude de direção.

264 Faça um motor de elástico

1. Passe um elástico por um carretel de linha. Encaixe um palitinho de picolé na ponta e prenda com fita adesiva.

2. Coloque o carretel de pé, de modo que ele fique sobre o palito com o outro lado do elástico saindo por cima.

3. Passe outro palito de picolé pela ponta livre do elástico e torça bem. Solte e observe o que acontece.

Alguns motores criam movimento através do giro. À medida que você torce o elástico, você está armazenando energia. Quando você solta o palito, esta energia é liberada e o elástico se desenrola, fazendo o carretel girar rapidamente.

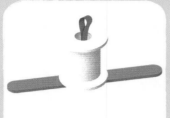

265 Construa um torpedo de garrafa

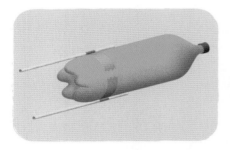
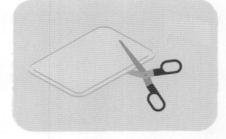

1. Use uma fita adesiva larga para fixar um canudo de cada lado de uma garrafa grande de plástico (Deixe a garrafa tampada).

2. Corte dois retângulos de plástico duro (tampa de um pote de sorvete). Eles devem ter a mesma largura da garrafa.

3. Faça um corte até a metade de cada retângulo. Em seguida, encaixe os dois retângulos para fazer uma pá.

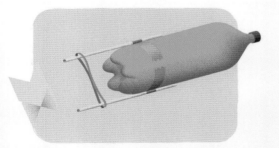
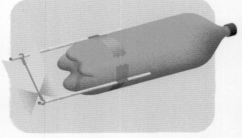

4. Deslize um elástico entre os canudos. Encaixe a pá no elástico. Gire a pá várias vezes.

5. Segure a pá no lugar e solte a garrafa em uma banheira ou tanque com água até a metade. O que acontece?

À medida que você gira a pá, o elástico é torcido, armazenando energia. Quando você solta a garrafa, o elástico se desenrola e assim a energia é liberada, fazendo a pá girar. Esta energia empurra a garrafa através da água, como um torpedo.

Reflexos e reações

Teste as reações do seu corpo e descubra seus reflexos.
Reflexos são reações instantâneas que podem protegê-lo...

Você vai precisar de um ou mais amigos para essas atividades.

266 Fique de olho

Faça isso durante o dia.

1. Observe seus olhos em frente ao espelho. Feche-os por mais ou menos trinta segundos.

2. Abra-os bem rápido e olhe com atenção. Você nota alguma diferença?

Esta partezinha preta no seu olho (pupila) deve ficar maior, e logo voltar ao normal. Isto é por que os seus olhos reagem à luz. Se está muito claro, suas pupilas encolhem para proteger os olhos da luz. Se estiver escuro, suas pupilas relaxam e abrem para deixar entrar o máximo de luz possível e ajudá-lo a ver no escuro.

267 Barulho inesperado

Peça a um amigo que leia este livro em voz baixa. Fique em silêncio e então de repente o surpreenda com uma palma forte. O que acontece?

PLAFT!

Um barulho repentino pode assustar seu amigo e desencadear um reflexo, provavelmente fazendo-o saltar, gritar ou virar para olhar para você... furioso!

268 Teste da piscada

1. Peça a um amigo para ficar do outro lado de uma janela ou porta de vidro.

2. Peça que ele olhe para você. Jogue rapidamente uma bola de papel no vidro.

Seu amigo
Você

Os olhos do seu amigo devem fechar automaticamente para protegê-los, mesmo sabendo que o vidro impedirá qualquer coisa de bater seu rosto.

269 Ritmo cardíaco

1. Peça que um amigos conte quantas vezes seu coração bate por minuto.

2. Peça que ele feche os olhos e dê um susto nele. Conte quantas vezes seu coração bate por minuto logo depois do susto. Existe diferença?

A frequência cardíaca do seu amigo deve ser mais rápida após ter levado o susto. Quando se está surpreso, o reflexo faz o coração bater mais rápido. Uma substância chamada adrenalina é liberada no corpo. Ela o prepara para fugir em caso de perigo.

270 Pense rápido

Faça em um círculo de quatro ou cinco pessoas. Chame o nome de um amigo ao mesmo tempo que você joga a bola para ele. Será que ele vai agarrar a bola a tempo? Continue o jogo.

LIPE!

Este jogo testa a rapidez com que as pessoas reagem ao ouvir seus nomes. Este não é um reflexo – pois é necessário um momento de reflexão, por isso se chama uma reação. Algumas pessoas reagem rápido, outras não.

271 Snap!

Jogue um jogo de *snap* com um amigo. Cada um recebe metade de um baralho, e alternadamente coloca uma carta virada para cima sobre a mesa, em uma pilha. Sempre que duas cartas iguais aparecem, a pessoa que gritar *Snap!* primeiro e puser a mão sobre a pilha, ganha todas as cartas.

Snap testa a rapidez com que você reage ao ver um par de cartas, assim como a eficiência dos seus olhos e mãos ao trabalhar juntos. Isto se chama coordenação olho–mão. Várias atividades do dia a dia podem melhorar esta sua coordenação. Como praticar música, esportes ou até mesmo jogar videogame, por exemplo.

272 Régua em queda

1. Segure uma régua de 30 cm e peça a um amigo para colocar a mão abaixo e tentar agarrá-la assim que você soltar.

Deixe o zero na parte de baixo. ---->

2. Solte-a de repente, sem avisar. E então... seu amigo pegou a régua ou a deixou cair?

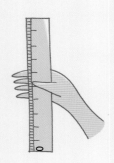

3. Você pode fazer este mesmo teste com várias pessoas e comparar suas reações.

NOME	MEDIDA
Guilherme	Deixou cair
Fernanda	5cm
Rafael	4cm
Lara	10cm

Este teste mede o tempo de reação. Quanto mais rápida a reação, mais perto do zero a pessoa vai agarrar. Então, se a pessoa tiver uma reação mais lenta, ela vai agarrar mais perto dos 30 centímetros.

Curvando a luz

Descubra como curvar a luz, fazendo-a passar através de substâncias ou objetos. Este efeito é chamado de refração.

273 Régua partida

Encha um copo com água e ponha uma régua dentro dele. Observe a régua pela lateral do copo. O que acontece? Coloque um canudo também. A mesma coisa acontece?

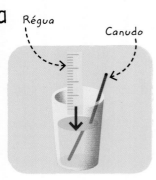

Régua

Canudo

Quando você olha para alguma coisa, o que você realmente vê é a luz refletida nela. A luz se curva à medida que passa do ar para a água, então, quando você olha para a régua e o canudo dentro do copo, eles parecem se dobrar em contato com a água.

Esta figura mostra uma régua, um lápis e um canudo parecendo se dobrar na superfície da água, onde ar e água se encontram.

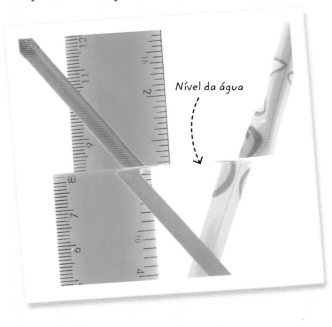

Nível da água

274 Colher quebrada

1. Encha um pote com metade de água e metade com óleo vegetal.

2. Coloque uma colher comprida dentro do pote. O que acontece? E se você usar um canudo?

Use um pote quadrado.

A luz se curva à medida que passa do ar para o óleo e outra vez quando passa para água. Isso faz com que a colher pareça estar quebrada em dois lugares.

A colher e os canudos parecem quebrar onde o óleo encontra o ar e mais uma vez onde o óleo encontra a água.

275 Moeda, reapareça!

1. Use massinha adesiva para fixar uma moeda no meio de uma tigela rasa.

2. Afaste-se da tigela até que você não consiga ver a moeda.

3. Lentamente, despeje água na tigela até que a moeda reapareça.

A moeda não se move. Quando você adiciona água, a luz refletida pela moeda precisa passar pela água e pelo ar e isso faz com que ela se curve sobre a borda da tigela em um ângulo diferente, permitindo que você veja a moeda novamente.

277 Lupa d'água

1. Ponha um pedaço de plástico transparente sobre uma página deste livro. (Pode ser uma folha de plástico fino.)

2. Mergulhe um canudo em um copo de água. Em seguida, ponha um dedo sobre sua ponta para manter a água dentro dele.

3. Libere algumas gotas de água sobre o plástico. Você nota algo diferente através das gotas?

A luz se curva e se espalha à medida que passa através das gotas de água, ampliando o que está escrito. Uma lupa funciona da mesma maneira.

276 Selo invisível

1. Coloque um selo sobre a mesa. Ponha um pote de vidro com tampa sobre ele. Você consegue ver o selo?

2. Agora, encha o pote com água e o tampe. Você pode ver o selo de qualquer ângulo?

A água no pote faz com que a luz se curve tanto que você não pode ver o selo pela lateral. Quando o pote está tampado, você também não pode ver o selo de cima.

278 Virando a seta

1. Desenhe uma seta horizontal em um pedaço de cartolina. Encha um copo com água. Coloque a seta atrás do copo e olhe através da água.

2. Tente inclinar o copo e mover a seta para longe. O que você vê?

Observe a seta atrás do copo.

Em determinado ponto atrás do copo, a seta irá aparecer apontando para o outro lado. Isso acontece por causa da maneira como a luz se curva.

Flutuando e afundando

Por que algumas coisas flutuam e outras afundam?

279 Água-viva

1. Corte um quadrado de uma sacola plástica.

2. Amarre um barbante frouxo no meio do quadrado. Em seguida, faça cortes abaixo do barbante.

4. Ponha um pouco de água no meio (deixe um pouco de ar) e aperte o barbante.

5. Encha uma garrafa plástica com água e coloque a "água-viva" dentro.

6. Tampe e vire a garrafa de cabeça para baixo. O que vai acontecer?

O ar sobe na água. Quando você coloca sua água-viva na garrafa, o ar preso dentro dela sobe, o que a faz flutuar.

280 Peixinho

1. Pegue um pedaço de plástico duro e recorte para fazer um peixe. Fixe-o a um clipe de papel usando massinha.

2. Prenda o clipe na parte inferior de uma tampa de caneta com massinha.

O peixe vai passar pelo gargalo de uma garrafa.

3. Encha uma garrafa com água. Coloque o peixe dentro e tampe.

4. Pressione a garrafa. O que acontece com o peixe? Solte. E agora?

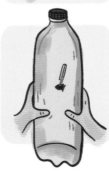

Quando você coloca o peixe na água, uma bolha de ar fica presa na tampa de caneta, fazendo-o flutuar. Apertar a garrafa comprime a bolha de ar e permite que mais água entre na tampa da caneta, fazendo o peixe afundar. Quando você para de apertar, a bolha de ar volta ao seu tamanho normal, empurrando a água para fora. Isso faz com que o peixinho flutue mais uma vez.

281 Casca de laranja

1. Ponha uma laranja em uma jarra de água. Ela boia ou afunda?

2. Descasque a laranja. Depois de descascada, a laranja boia ou afunda?

A casca da laranja possui minúsculas bolsas de ar, que faz com que a laranja flutue. Sem ela a laranja afunda.

282 Passas

Ponha um pouco de água com gás em um copo, em seguida, jogue algumas passas lá dento. O que acontece com elas?

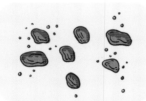

No início, as passas afundam, mas a água com gás contém bolhas de gás, que grudam ao redor das passas e as fazem flutuar até a superfície. Lá, o gás escapa, deixando-as afundar novamente.

283 Água salgada

Coloque um ovo fresco em uma tigela de água. Como ele se comporta? Retire o ovo e misture várias colheres de sal. Coloque o ovo de volta. O que acontece agora?

Os ovos são mais densos que a água, por isso eles afundam. Mas a adição de sal faz com que a água fique mais densa que o ovo, fazendo-o flutuar.

284 Submarino de cenoura

1. Pegue um pequeno pedaço de cenoura e corte de um lado, deixando-o plano.

2. Use uma chave de fenda para fazer um furo na cenoura, no centro do lado plano.

O furo não pode ultrapassar a cenoura.

3. Coloque a cenoura em uma bacia cheia de água, com o lado cortado para baixo. Espete alguns palitos nele até que afunde.

4. Retire a cenoura da água. Tampe o furo com fermento em pó.

5. Ponha a cenoura na água, com a lateral plana virada para baixo. Veja que o submarino vai afundar várias vezes.

Os palitos deixam a cenoura muito pesada para flutuar. Quando o fermento é adicionado, ele reage com a água para produzir bolhas de gás dióxido de carbono. Estas bolhas fazem a cenoura flutuar até à superfície, onde elas se rompem, fazendo a cenoura a afundar novamente. Este efeito continua até que todo o fermento tenha reagido.

Máquinas simples

Em ciência, uma máquina é uma ferramenta que torna mais fácil tarefas como o levantar, empurrar, puxar ou girar. Aprenda a fazer algumas máquinas e descubra como elas funcionam.

285 Faça engrenagens

 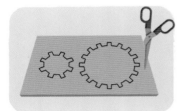  

Veja se as engrenagens se encaixam bem certinho.

1. Coloque um papel fino sobre esta página e copie o contorno das engrenagens.

2. Cole o papel fino sobre um pedaço de papelão. Em seguida, recorte as engrenagens.

3. Encaixe as engrenagens lado a lado, sobre um papelão. Prenda cada peça com uma tachinha.

4. Gire a engrenagem grande no sentido horário e preste atenção para ver em qual sentido a pequena gira?

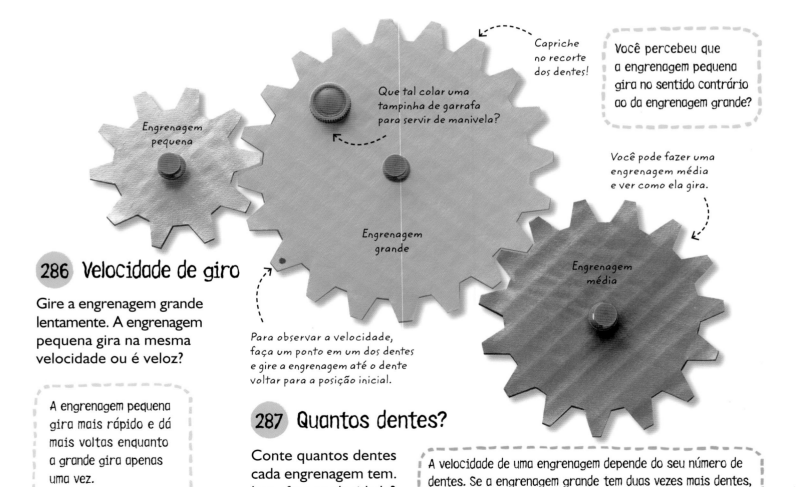

Capriche no recorte dos dentes!

Que tal colar uma tampinha de garrafa para servir de manivela?

Você percebeu que a engrenagem pequena gira no sentido contrário ao da engrenagem grande?

Você pode fazer uma engrenagem média e ver como ela gira.

Engrenagem pequena

Engrenagem grande

Engrenagem média

286 Velocidade de giro

Gire a engrenagem grande lentamente. A engrenagem pequena gira na mesma velocidade ou é veloz?

Para observar a velocidade, faça um ponto em um dos dentes e gire a engrenagem até o dente voltar para a posição inicial.

A engrenagem pequena gira mais rápido e dá mais voltas enquanto a grande gira apenas uma vez.

287 Quantos dentes?

Conte quantos dentes cada engrenagem tem. Isso afeta a velocidade?

A velocidade de uma engrenagem depende do seu número de dentes. Se a engrenagem grande tem duas vezes mais dentes, a pequena vai girar duas vezes para cada volta que a grande der.

288 Faça uma alavanca

1. Dobre uma tira de cartolina grossa em três partes para fazer um tubo triangular. Cole com fita adesiva.

2. Coloque uma régua sobre o tubo e ponha um objeto pequeno e pesado em uma das pontas.

3. Empurre a outra ponta da régua para baixo e veja que o objeto vai levantar.

4. Mova o triângulo sob a régua para mais próximo do objeto e empurre novamente. Em qual posição fica mais fácil?

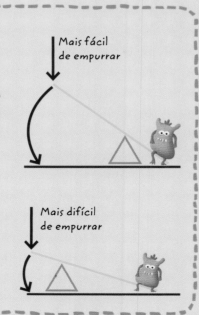

A régua age como uma alavanca – que ajuda a erguer algo.

Com o triângulo perto do objeto, a alavanca se move mais e fica mais fácil para empurrar.

Com o triângulo afastado do objeto, a alavanca se move menos, e você tem de empurrar com mais força.

Mais fácil de empurrar

Mais difícil de empurrar

289 Faça uma polia fixa

1. Prenda um livro com um barbante comprido. Levante o livro pelo barbante somente.

2. Passe a ponta sobre um encosto de cadeira e puxe o barbante para baixo, levantando o livro. Ficou mais fácil?

O encosto da cadeira age como uma polia fixa, que muda a direção na qual você puxa o barbante. Dessa maneira fica bem mais fácil levantar o livro.

290 Sistema de polias móveis

1. Passe um carretel de linha vazio em uma vareta. Pendure com um barbante. Passe mais barbante através de outro carretel e amarre as pontas em um brinquedo.

2. Amarre a ponta de um barbante longo ao ponto de suspensão, passe-o debaixo do carretel que segura o brinquedo e sobre o primeiro carretel. Puxe. É mais fácil suspender o brinquedo desse jeito, ou com uma polia fixa?

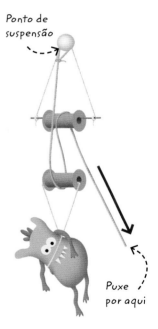

Ponto de suspensão

Puxe por aqui

Os carretéis funcionam como polias e o carretel inferior é livre para se mover. As duas linhas que o sustentam distribuem o peso e assim você só precisa usar metade da força, porém o brinquedo se move a metade do comprimento da linha que você puxa. Suspender objetos usando este sistema de polia requer menos esforço, mas você deve puxar mais corda.

Refletindo a luz

Veja como a luz é refletida e use sua imaginação nestas experiências incríveis.

291 Faça um caleidoscópio

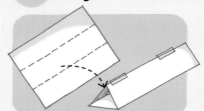

Faça um furo no círculo.

1. Cole papel laminado no verso de um cartão postal. Dobre o cartão em três para formar um tubo triangular, com o laminado por dentro.

2. Corte um círculo de cartolina. Faça um furo no centro do círculo. Forme um cone com o círculo e prenda com fita na ponta do tubo.

Os círculos vão cobrir o fundo do tubo.

3. Recorte dois círculos de papel vegetal. Espalhe lantejoulas sobre um dos círculos e cole o outro sobre ele. Use fita adesiva.

4. Cole os círculos na outra ponta do tubo. Agora, aponte para uma janela e olhe através do furo, girando-o. O que você vê?

A luz refletindo em superfícies brilhantes é chamada reflexão. À medida que os raios de luz entram no tubo, eles refletem as lantejoulas e novamente no papel laminado criando muitos padrões coloridos de reflexão.

292 Tubo de espirais

Remova o círculo usado na experiência 291. Faça espirais coloridas com caneta hidrográfica em um novo círculo de papel vegetal. Fixe-o no tubo e olhe novamente através do furo.

A luz reflete as espirais no papel laminado. A superfície do papel reflete partes do desenho em diferentes ângulos, misturando assim as cores.

293 Arte em glitter

Cole bastante glitter em uma figura recortada de revista. Acenda uma lanterna e gire a figura na luz. O que acontece?

À medida que a figura se move, os raios de luz refletem o glitter em vários ângulos, fazendo a figura brilhar de maneiras diferentes.

294 Espelho mágico

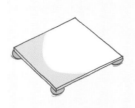

Adicione fita adesiva para firmar mais.

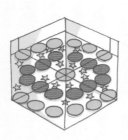

1. Pegue três espelhos quadrados pequenos. Use massinha adesiva para prender um espelho na mesa.

2. Fixe os outros dois espelhos de pé, contornando aquele que está na horizontal, desse jeito.

3. Organize moedas recortadas de papel laminado no espelho deitado. O que você vê?

O arranjo que você cria é repetido várias vezes à medida que cada espelho o reflete.

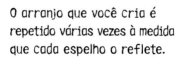

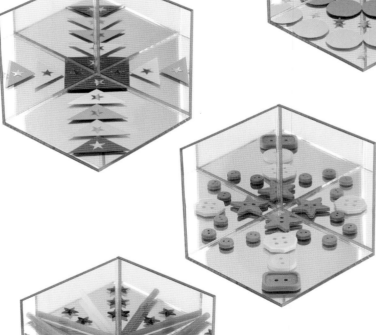

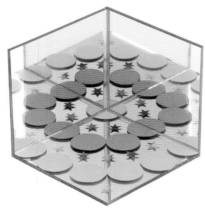

Que tal repetir a experiência 294 com outros objetos?

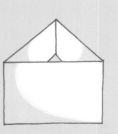

295 Parede de espelhos

Forme um triângulo com três pequenos espelhos. Você pode fixá-los com fita ou massinha adesiva. Coloque algum objeto no meio do triângulo e espie. O que você vê?

As reflexões parecem intermináveis, uma vez que cada espelho reflete as imagens dos outros.

Bolhas de sabão

Vamos aprender a fazer bolhas
e assim aprender mais sobre elas?

296 Que bolhão!

I. Faça um círculo
bem grande de
arame (mas não
se esqueça: ele
precisa caber em
uma bandeja!)
Torça as pontas
para fazer o cabo.

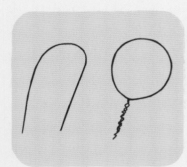

2. Faça um pouco
de mistura para
bolhas de sabão
(veja acima como
fazer). Mergulhe
então o círculo
na bandeja.

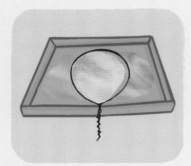

3. Balance sua
varinha devagar
para fazer uma
grande bolha
de sabão.

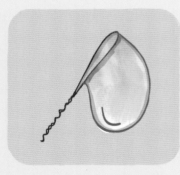

> A mistura para bolhas forma uma película
> flexível sobre o arame. Quando você move
> ou sopra a varinha, esta película estica
> e prende o ar dentro dela,
> formando uma bolha.

Líquido perfeito para bolhas!

Misture meia xícara de detergente líquido, duas xícaras
de água e duas colheres de chá de açúcar numa jarra.

⚠ *As bolhas podem manchar, então o ideal é vestir
roupas velhas e fazer suas bolhas no jardim!*

297 Faça uma varinha quadrada

Pegue outro pedaço de
arame e faça uma varinha
quadrada. Mergulhe-a na
bandeja e tente fazer uma
bolha. O que acontece?

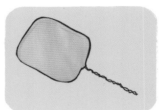

298 Bolhas de garrafa

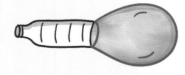

I. Corte o fundo de
uma garrafa plástica.

2. Mergulhe a garrafa
pela parte de baixo na
bandeja com a mistura.

*Só pare de
soprar quando
a bolha estourar.*

3. Sopre pelo gargalo
para fazer uma bolha.

> As bolhas de sabão são sempre redondas, não importa
> o formato da varinha com a qual elas foram feitas.
> Isso acontece pois a película tenta se manter no formato
> mais compacto possível – um esfera.

299 Bolhas coloridas

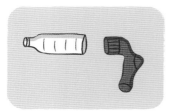

Sopre aqui

Coloque o papel na bandeja seca.

1. Estique uma meia velha sobre o fundo da garrafa que você cortou para a atividade 298.

2. Adicione corante alimentar à mistura para bolhas. Mergulhe a meia na mistura.

3. Segure a garrafa sobre uma folha de papel e sopre no gargalo. O que acontece?

À medida que você sopra, a mistura de bolhas passa por pequenos furinhos na meia, formando bolhinhas coloridas que grudam umas às outras. Quando estouram, as bolhas deixam um desenho de corante no papel.

Faça uma pintura como esta: Basta soprar uma cor de bolhas de cada vez!

300 Pintando com bolhas

1. Coloque um pouco da mistura para bolhas em uma bandeja e adicione tinta. Misture bem.

2. Sopre a mistura com um canudo e pare assim que as bolhas formadas alcançarem a borda da bandeja.

3. Coloque uma folha de papel sobre as bolhas, retirando-a em seguida. As bolhas vão deixar uma impressão ao estourar no papel.

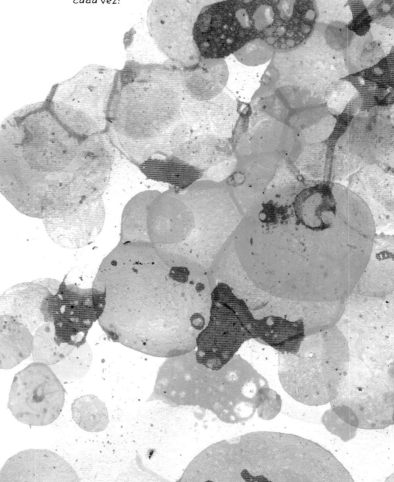

Movimento

Olhe ao seu redor. Algumas coisas estão paradas, outras estão em movimento. Então... o que é que as faz mover?

301 Feijão mil pulinhos

1. Corte um retângulo de papel alumínio e faça um tubo da largura de um bastão de cola.

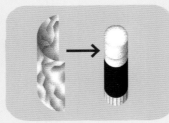

2. Retire o tubo e dobre o fundo. Ponha uma bola de gude dentro dele. Dobre a outra ponta.

Dobre aqui.

3. Agite um pote com o tubo dentro. Só pare de agitar quando ambas extremidades do seu tubo estiverem redondas, como as de um feijão.

4. Coloque o feijão na palma da sua mão. Incline gentilmente a sua mão para um lado e para o outro. O que acontece?

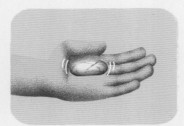

O feijão pula como se tivesse um bicho dentro dele. Uma vez que o objeto começa a se mover, ele tende a continuar seu movimento na mesma direção. Isto é conhecido como movimento linear. À medida que sua mão inclina, a bolinha bate no canto do tubo (feijão) e faz ele virar para que ela possa continuar rolando.

302 Bolinha de gude na panela

Coloque uma bola de gude dentro de uma panela e gire a panela até que a bolinha esteja a toda velocidade lá dentro. Agora pare de mover a panela. O que acontece?

Mesmo com a panela parada, a bolinha continua a girar dentro dela, por causa do movimento linear.

303 Moeda que gira

Ponha uma moeda dentro de um balão e encha-o. Mova o balão de modo que a moeda gire dentro dele. Pare de mover o balão. O que acontece?

O movimento linear faz com que a moeda continue girando dentro do balão apesar de parado.

304 Redemoinho

Mexa uma colher dentro de um copo com água em movimentos circulares. Pare de mexer e retire a colher. Observe. O que acontece?

Nem sempre um objeto é necessário. Neste caso, quando você para de mexer, o movimento linear da água faz com que ela siga girando na mesma direção de antes.

305 Colisão de bolinhas

Fixe duas réguas na mesa com fita adesiva. Deixe um espaço entre elas. Coloque uma bolinha na metade do caminho e role outra bolinha em direção à primeira. O que acontece?

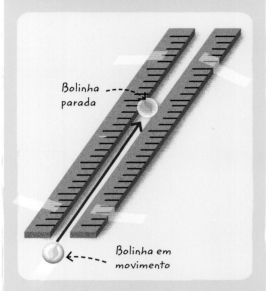

Bolinha parada

Bolinha em movimento

Quando as bolinhas batem, o movimento linear daquela que estava se movendo é transferido para a bola parada e esta então começa a se mover.

306 Três bolinhas

Coloque agora, duas bolinhas de gude juntas, entre as réguas, paradas no meio do caminho. Role uma terceira bolinha até elas e observe o que acontece.

Dessa vez, quando as bolinhas colidem, o movimento linear passa pela bolinha do meio até a que está atrás dela. Então, quando a bolinha que estava se movendo para, a do meio não se move, e a terceira começa a rolar.

307 Girando o ovo

1. Gire um ovo cru sobre uma mesa ou sobre um chão liso.

2. Pare o ovo com seu dedo. Retire o dedo. O que acontece?

Quando você toca o ovo, ele para de se mover por um momento, e depois recomeça. Isto acontece, pois o interior do ovo é líquido, e tem movimento linear suficiente para fazê-lo girar novamente.

308 Será que gira?

Repita a atividade 307 com um ovo cozido. O que acontece então?

O ovo cozido para de girar, pois seu interior é sólido. Quando você interrompe o movimento, o ovo inteiro para, não só a casca.

309 Boliche de gude

1. Este é um jogo para dois ou mais jogadores. Cada um coloca uma bolinha de gude no chão.

2. Coloque outra bolinha no chão a uma distância pequena. Este é o alvo.

Alvo

Jogador 1

Jogador 2

Jogador 3

3. Os jogadores se revezam para tentar acertar o alvo com sua bolinha. O objetivo é acertar o alvo e parar à menor distância dele.

Se você acerta o alvo, o movimento linear da sua bolinha passa para ele e o afasta. Quanto mais rápida a sua bolinha, mais longe o alvo irá. Então, para ganhar, você precisa de velocidade suficiente para atingir o alvo, mas sem empurrá-lo para longe.

Resistência à água

A água fica em algumas superfícies, mas é repelida por outras...
Como isso acontece?

310 Cera e tinta diluída

Faça desenhos com giz de cera sobre uma cartolina branca. Em seguida, espalhe um pouco de tinta diluída sobre o desenho. O que acontece?

A tinta diluída escorre das partes desenhadas pois a cera do giz é resistente à água. A tinta fica no papel pois ele é absorvente.

311 Tinta não diluída

Tente pintar novamente sobre os desenhos feitos na atividade 310, mas agora use a tinta sem diluir. O que acontece?

A tinta não diluída contém menos água e mais cor, por isso ela cobre o giz de cera.

312 Giz de cera passado

1. Rale um giz de cera com um ralador e espalhe as raspas em um papel.

2. Cubra com papel manteiga e passe com o ferro de passar.

3. Tire o papel manteiga, e pinte sobre o giz de cera com tinta diluída.

Cuide para não ralar os dedos!

Use o ferro de passar na temperatura mínima.

Em alguns pontos você vai ver a cera branca se separando da cor do giz.

O calor do ferro de passar derrete as raspas. As raspas derretidas grudam tão bem no papel, que geram uma área superresistente à água.

313 Margarina

Coloque uma colher de margarina em um pratinho. Passe o dedo na margarina e faça impressões digitais em um papel. Em seguida, Pinte com tinta diluída. O que acontece?

As velas, a margarina, a manteiga e os protetores labiais são feitos de cera, gordura ou óleos. Todas estas substâncias resistem à tinta diluída. O sabão não resiste à tinta, pois embora seja feito a partir de óleos e um tipo de gordura, ele contém ingredientes que o misturam à água e formam espuma.

314 Vela

Faça um desenho com uma vela, pinte a folha com tinta diluída e observe o que acontece.

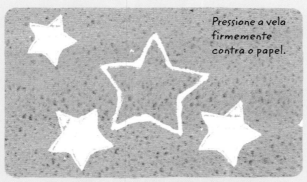

Pressione a vela firmemente contra o papel.

315 Protetor labial

Passe protetor labial em seu dedo e com ele desenhe no papel. Pinte por cima. O que você vê?

316 Sabão

Faça um desenho usando uma barra de sabão. Pinte por cima. O que você nota?

Catapultas

Catapultas são máquinas usadas para arremessar objetos à distância. Veja como elas funcionam, armazenando e liberando energia.

Esta catapulta pode lançar uma bolinha com tanta força... ela vai atravessar a sala!

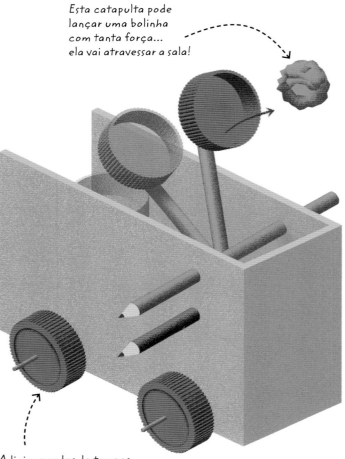

317 Faça uma catapulta de papelão

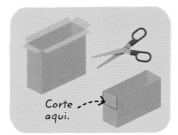

Corte aqui.

1. Corte um terço de uma caixa de cereal. Corte um dos lados menores para que fique mais curto.

Faça furos aqui usando uma tachinha primeiro.

Faça dois furos de um lado ao outro da caixa. Faça outro furo na metade do lado mais curto.

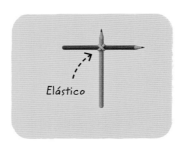

Elástico

3. Faça o braço móvel da catapulta: ponha dois lápis em cruz e enrole um elástico para fixá-los.

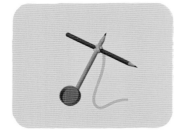

4. Cole uma tampa plástica na parte de baixo da cruz, corte um elástico e amarre na ponta de cima da cruz.

Adicione rodas de tampas plásticas espetadas em palitos de churrasco (faça furo com tachinha primeiro.)

Quando você puxa o braço da catapulta para trás, o elástico armazena energia. Quando você solta, esta energia é liberada a transferida para a bolinha, fazendo com que ela voe.

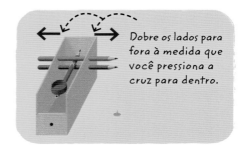

Dobre os lados para fora à medida que você pressiona a cruz para dentro.

5. Encaixe os braços da cruz no par de furos. Empurre um lápis apontado através da caixa logo acima deles e deixe-o lá.

O lado mais curto é para você puxar ainda mais a catapulta para trás.

Pedaço de canudo

6. Empurre a ponta do elástico através do furo no lado mais baixo, esticando bem. Amarre a ponta num pedaço de canudo.

7. Faça bolinhas de papel. Puxe a tampa plástica para trás, ponha uma bolinha dentro dela e solte. Que tal tentar acertar um alvo?

318 Catapulta de prendedor

Equilibre uma bolinha de papel sobre um prendedor de roupas. Aperte o prendedor e então o solte...

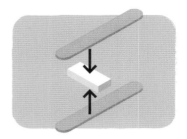

... e veja a bolinha de papel voar!

319 Furador e colher

Prenda uma colher plástica sobre um furador de papel com fita adesiva e carregue a colher com uma bolinha de papel. Aperte o furador e solte.

Pressione aqui.

O furador possui molas aqui dentro.

A força para lançar as bolas vem da energia armazenada nas molas, tanto do prendedor quanto do furador.

320 Palitos de picolé e borracha

1. Ponha uma borracha entre dois palitos de picolé ou lixas de unha de papelão.

2. Enrole um elástico em torno dos palitos e da borracha, assim. Prenda outro elástico às pontas dos palitos.

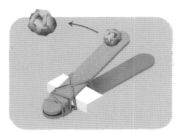

Enrole o segundo elástico aqui.

3. Coloque uma bolinha de papel sobre o palito de cima, pressione o palito para baixo e solte. Veja até onde a bolinha vai.

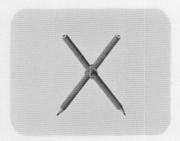

A força de lançamento desta catapulta vem da energia armazenada no palito pressionado e nos elásticos esticados.

321 Estilingue de dedo

Coloque um elástico em volta de seu dedo. Ponha uma bolinha de papel no outro lado do elástico, puxe-a para trás e solte.

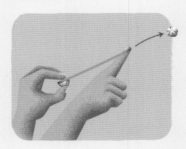

Quando você solta, a energia que estava armazenada no elástico esticado é transferida para a bolinha, fazendo-a voar. Quanto mais você estica o elástico, mais energia ele armazena e por isso, mais longe a bolinha vai voar.

322 Lápis cruzados

1. Cruze dois lápis para formar um "X". Passe uma borrachinha em torno deles para prendê-los no lugar.

2. Corte um elástico resistente e amarre suas pontas nos lápis. Ponha uma bolinha de papel em frente ao elástico, puxe-a para trás e solte.

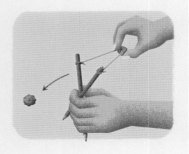

O poder da água

Descubra o poder da água corrente...

⚠ Faça estas experiências no banheiro ou no jardim, pois elas podem te molhar!

323 Barco movido a água

1. Cole um copo de papel no centro de um pote plástico e passe um lápis até dentro do copo, através do pote.

2. Retire o lápis e coloque um canudo dobrável através dos furos, fixando com fita.

3. Ponha o barco sobre a água de uma banheira ou pia, encha o copo e observe...

Use uma tachinha para fazer os furos

Parte dobrável

Aponte a parte dobrável para baixo.

A água flui para fora do copo através do canudo na parte de trás do barco. À medida que faz isso, ela empurra o barco na direção contrária e assim o barco se move para frente.

Faça um mastro com canudinho e prenda com massinha adesiva. Agora é só caprichar no colorido das velas!

Que tal fazer as laterais do barco com cartolina?

324 Fonte de garrafa

1. Faça três furos perto da base de uma garrafa plástica. (Use primeiro uma tachinha e alargue o furo com o lápis).

2. Feche os furos com fita adesiva. Encha a garrafa e coloque-a na pia.

3. Retire a fita adesiva e veja a água fluindo. Você percebe algo?

A água esguicha mais forte pelo último furo, pois há mais água acima dele pressionando para baixo. Por isso as represas precisam ser mais fortes e mais largas na base do que na parte superior.

325 Fonte chafariz

Faça pequenos furos em uma sacola plástica e a segure sobre a pia. Use uma jarra para colocar água dentro da sacola. O que acontece ao apertá-la?

De início a água flui normalmente para fora, mas com o apertar da sacola, a água flui mais rápido.

326 Água imóvel

1. Faça um furo perto da base de uma garrafa plástica pequena. Em seguida, tampe o furo com fita adesiva.

2. Encha a garrafa com água e a tampe. Tire a fita. O que acontece? Remova a tampa. O que acontece agora?

Num primeiro momento, nada acontece quando você retira a fita. Pois a água não pode fluir pela base já que o ar não consegue entrar para substituí-la. Somente depois de a garrafa ser destampada, o ar e a água podem fluir livremente.

327 Água girando

Distribua os furos perto da base, uniformemente.

1. Corte a base de uma garrafa plástica grande. Use um lápis para abrir três furos.

2. Corte um canudo em três partes e coloque nos furos. Fixe-os com fita.

3. Faça mais três furos na parte superior, passe uma linha entre eles, junte as pontas e amarre. Segure a garrafa sobre a pia e encha de água. O que acontece?

A medida que a água sai pelos canudos (empurrada para baixo pela pressão da água acima dos furos), a garrafa tenta se mover em outra direção e a água começa a girar.

328 Espirrando água

Dobre

Não corte esta parte

1. Dobre um pedaço de cartolina na metade e desenhe um elefante.

2. Recorte o elefante, tomando cuidado para não cortar a dobra.

Prenda o balão aqui

3. Abra e prenda um canudo dobrável dentro do elefante, com a parte móvel ao longo da tromba.

4. Encha um balão até a metade com água e prenda a boca do balão à ponta do canudo com fita.

5. Ponha seu elefante de pé e aperte o balão. O que acontece?

Quando você aperta o balão, o espaço dentro dele diminui. Por isso a água é empurrada através do canudo para fora.

Helicópteros de papel

Faça helicópteros de papel e descubra como o a força do ar os empurra e os faz girar.

329 Helicóptero de papel

1. Corte um retângulo de papel (20 x 10cm) e faça dois cortes.

Cada corte deve ter um terço da largura

2. Dobre abaixo dos cortes duas vezes para fazer uma tira.

3. Dobre a base da tira e fixe-a com um clipe de papel. Corte a parte superior, mas pare antes do meio.

4. Dobre cada metade da parte superior para um lado. Solte seu helicóptero de um lugar alto.

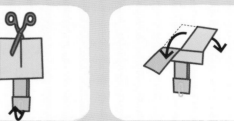

Pás

Ar   Ar

À medida que o helicóptero cai, o ar empurra suas pás, fazendo com que elas girem em direções opostas. Um helicóptero com pás curtas gira e cai mais rápido. Um com pás mais longas permanece no ar por mais tempo.

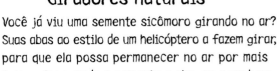

Giradores naturais

Você já viu uma semente sicômoro girando no ar? Suas abas ao estilo de um helicóptero a fazem girar, para que ela possa permanecer no ar por mais tempo. Isso ajuda a semente a chegar a um bom lugar (longe de sua origem) para crescer.

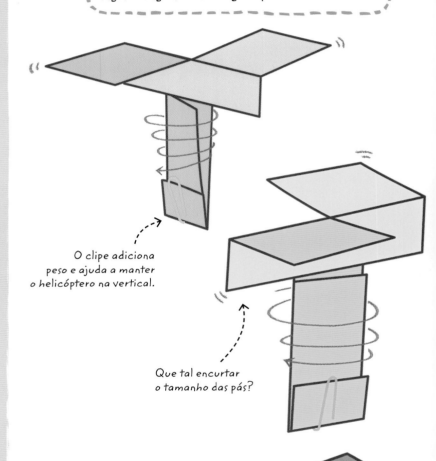

O clipe adiciona peso e ajuda a manter o helicóptero na vertical.

Que tal encurtar o tamanho das pás?

...ou fazer um corte mais comprido no papel, de maneira a deixar seu helicóptero com pás mais longas, e comparar os dois modelos?

330 Helicóptero de tira simples

1. Corte uma tira de papel e dobre-a ao meio. Dobre a parte de baixo outra vez e prenda com um clipe.

2. Com cuidado para não soltar o clipe, dobre uma pá para a direita e a outra para a esquerda.

3. Segure seu helicóptero bem no alto e solte-o. Como ele voa? P.S: Para melhorar o voo, dê uma levantadinha nas hélices.

Veja como a tira tem de ser bem longa. Aqui ela já está dobrada ao meio.

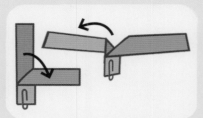

O helicóptero de tira simples não voa tão bem porque suas pás são mais estreitas, portanto menos ar as empurra e ele cai rapidamente.

331 Pás rígidas

Faça os helicópteros das atividades 329 e 330, mas usando cartolina dessa vez. Ele voa melhor assim?

O helicóptero de cartolina cai mais rápido pois é mais pesado que o de papel, mas a mesma quantidade de ar o empurra.

Com as pás dobradas deste jeito o helicóptero gira em sentido horário.

Se você mudar a posição das pás, o helicóptero vai mudar a direção de giro.

332 Direção de giro

Solte o helicóptero e veja para que lado ele gira. Em seguida, dobre as pás do jeito contrário e veja como ele gira dessa vez.

A direção do giro depende da posição das pás. Por isso, quando você dobra as pás do jeito contrário, o helicóptero gira na direção oposta.

333 Sem pás

Dobre uma longa tira de papel no meio. Dobre a base para cima e fixe-a com um clipe de papel. Segure-o bem alto e solte. O que acontece?

O papel cai sem girar, pois não possui pás para resistir ao ar.

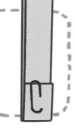

Quantos clipes de papel seu helicóptero consegue levar?

334 Mais peso

Adicione mais clipes a um helicóptero para aumentar seu peso. O que acontece?

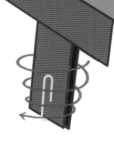

Quando há muito peso, a força que puxa o helicóptero para baixo é tão forte que o impede de girar e de voar.

Eletricidade estática

Veja o que acontece quando uma força chamada eletricidade estática se acumula em objetos e descubra como você pode usá-la para mover objetos.

335 Estática fantasmagórica

1. Recorte alguns fantasmas de papel de seda. Espalhe-os sobre a mesa ou no chão.

2. Esfregue uma régua de plástico em uma blusa por uns dois minutos.

3. Segure a régua sobre os fantasmas e aproxime-a devagar. O que acontece?

Desafie seus amigos: Quem será que consegue controlar mais fantasmas?

O que é eletricidade?

Eletricidade é causada pelo movimento de pequenas partículas dentro das coisas. Quando ela flui, liga máquinas e ilumina casas, por exemplo. E se não flui, esta energia se acumula em objetos criando eletricidade "estática". Quando estática, a eletricidade faz coisas se atraírem ou se afastarem.

Esfregar a régua faz com que a eletricidade estática se acumule nela. Isso atrai o papel de seda, por isso os fantasmas parecem flutuar e grudar na régua.

336 Pimenta que pula

1. Espalhe uma fina camada de pimenta moída em uma caixa de plástico e tampe.

2. Esfregue parte da tampa com um cachecol por alguns minutos. O que acontece? Agora esfregue toda a tampa para ver o que acontece.

O ideal é uma caixa transparente.

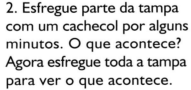

Esfregar a tampa acumula eletricidade estática, que atrai a pimenta. Então ao esfregar uma parte da tampa, a pimenta é atraída para aquela parte. Ao esfregar toda a tampa, a pimenta é atraída para toda ela.

337 Pimenta que cai

Repita a atividade 336 e no final, encoste um clipe de papel na tampa da caixa. O que acontece?

Use um clipe de metal.

O clipe metálico é um bom condutor e permite que a eletricidade flua, se desprendendo assim da tampa. Como não há mais eletricidade estática para suspender o pó de pimenta, ele cai no fundo da caixa.

338 Cabelo elétrico

1. Esfregue um balão no carpete ou em uma blusa por dois minutos. Segure o balão perto do cabelo de alguém. O que acontece?

2. Agora segure o balão contra uma parede. Solte-o. O que acontece?

Esfregar o balão faz com que a eletricidade estática se acumule dentro dele.

O balão vai fazer o seu cabelo subir e grudar na parede. Isso acontece, pois coisas que contêm energia estática são atraídas para coisas que não a contêm.

339 Curvando a água

1. Esfregue uma régua de plástico em uma blusa por dois minutos ou mais.

2. Abra a torneira só um pouquinho, para deixar correr um fio de água. Coloque a régua bem perto da água. O que acontece?

A eletricidade estática contida na régua atrai a água, fazendo com que ela se curve em sua direção.

340 Lata que rola

1. Penteie seu cabelo com um pente de plástico várias vezes. Coloque uma lata de refrigerante vazia no chão.

2. Mantenha o pente próximo à lata e comece a afastá-lo devagar. O que acontece?

O pente não toca na lata.

Pentear o cabelo faz com que a energia estática se acumule no pente, e por conta disso ele atrai a lata.

341 Balões saltitantes

1. Pegue dois balões. Com um barbante, prenda um balão no encosto de uma cadeira.

2. Esfregue os dois balões contra a sua blusa por um minuto. Coloque o balão que está solto bem perto do que está preso à cadeira e observe. O que acontece?

Os balões se repelem. Eles saltam para lados opostos tentando ficar distantes. Isso acontece, pois neste caso os DOIS objetos contêm muita energia estática.

Mão esquerda ou mão direita?

A maioria das pessoas acha mais fácil usar a mão direita. Outras preferem a mão esquerda. Há ainda pessoas que não são nem destros nem canhotos, pois usam as duas mãos com a mesma facilidade. Faça estas experiências e descubra mais sobre você!

Controle cerebral

Seu cérebro tem um lado direito e um lado esquerdo. E para deixar tudo confuso, nosso cérebro funciona assim: O lado direito controla movimentos do lado esquerdo do seu corpo, e o lado esquerdo controla o lado direito do corpo.

O lado direito do cérebro faz o braço esquerdo dar tchauzinho.

O lado esquerdo do cérebro faz a perna direita balançar.

Ninguém sabe ao certo o que faz uma pessoa ter mais habilidade em um lado do que o outro, mas cientistas sabem que isso vem de família.

342 Escrevendo

Escreva seu nome com a mão direita. Tente agora com a sua mão esquerda. Com qual delas você achou mais fácil escrever?

A maior parte das pessoas escrevem melhor com a mão direita, e são conhecidos como destros. Algumas pessoas escrevem melhor com a esquerda, e são chamadas canhotas. E as poucas pessoas que sabem escrever com ambas as mãos são chamadas ambidestras.

343 Jogando bola

Tente jogar e receber a bola com uma mão e depois troque. Com qual você acha mais fácil?

Se você é destro, você vai provavelmente jogar e receber melhor com a mão direita, e vice-versa se você é canhoto. Poucas pessoas, no entanto, preferem jogar bola com uma mão diferente àquela que usam para escrever.

O canhoto sofre!

Objetos que necessitam girar, como abridores de lata ou saca-rolhas, são normalmente projetados para pessoas destras, que giram as coisas no sentido horário. Pessoas canhotas tendem a girar coisas no sentido anti-horário e por isso acham superdifícil usar estes equipamentos.

344 Sombreamento

1. Desenhe um quadrado usando lápis e papel.

2. Feche bem os olhos e peça para um amigo sombrear todo o quadrado com linhas diagonais.

3. Observe o quadrado que seu amigo sombreou. Você consegue dizer qual das mãos ele usou?

As pessoas tendem a sombrear um desenho em direções diferentes, dependendo da mão que usam.

Se as linhas estão assim, seu amigo provavelmente usou sua mão direita.

Se elas estão desse jeito, seu amigo deve ter usado a sua mão esquerda.

345 Piscadinhas

Tente piscar seu olho direito, em seguida, seu olho esquerdo. Você é capaz de fazer isso?

A maior parte das pessoas pode piscar com ambos os olhos separadamente, mas muitas são melhores piscando um lado do que outro.

346 Pé direito ou pé esquerdo?

1. Chute a bola com seu pé direito. Depois tente com o pé esquerdo. Qual dos dois você controla melhor?

2. Corra e pule para frente. Com qual perna você saltou?

3. Suba uma escada. Com qual pé você pisa primeiro?

Você vai descobrir que tende a fazer mais coisas com um dos pés – e seu pé mais habilidoso pode ser contrário à sua mão mais habilidosa. Você pode ser ao mesmo tempo, destro com a mão e canhoto com o pé.

Cultivando cristais

Aprenda a fazer os mais incríveis cristais!

Pode ser que essa experiência não funcione na primeira tentativa. Mas não desista. Pois o tempo muito quente, frio ou úmido podem afetar esta atividade. Continue tentando!

347 Cristais de açúcar

1. Coloque meia xícara de água recém fervida em uma jarra. Adicione uma xícara de açúcar e misture até dissolver.

2. Leve a mistura a um pote. Mergulhe um palito de churrasco na mistura morna. Polvilhe açúcar na ponta molhada e deixe secar.

Não deixe o palito encostar no pote senão a solução sairá do palito e os cristais não crescerão.

3. Quando a mistura esfriar, ponha um grampo de roupas na ponta seca do palito e equilibre-o no pote com a ponta açucarada na mistura.

4. Deixe o pote em um lugar quente. Depois de alguns dias o palito estará coberto de cristais de açúcar. Você pode comê-los se quiser, como pirulitos.

A água quente segura uma maior quantidade de açúcar do que a água fria. É por isso que quando a água esfria, o açúcar sai da água e se prende ao palito.

348 Pirulitos coloridos

Tente fazer outros cristais de açúcar, mas desta vez misture algumas gotas de corante na água juntamente com o açúcar. Você obterá pirulitos de cristais coloridos, como estes à direita.

349 Cristais de alúmen

Cristais de alúmen

Para deixar seus cristais coloridos, basta misturar corante à água quente no passo 1.

1. Num pote, misture meia xícara de água quente e três colheres de sopa de *alúmen**.

Cubra o pote com uma toalha de papel

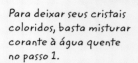

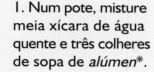

2. Deixe o pote por um ou dois dias até que você consiga ver pequenos cristais se formando no fundo.

3. Use uma peneira fina para separar os cristais do líquido, em seguida, devolva o líquido para o pote sem lavá-lo.

4. Pegue o maior cristal e amarre uma linha em volta dele. Amarre a outra ponta a um lápis.

5. Equilibre o lápis no pote para que o cristal fique na água. O cristal cresceu em uma semana?

350 Cristais de sulfato de magnésio

1. Misture meia xícara de água quente com duas colheres de sopa de *sais de sulfato de magnésio**.

2. Ponha duas colheres da mistura em um prato.

3. Faça uma varinha mágica com um limpador de cachimbo e coloque-a na mistura. Após dois dias, a varinha vai ficar assim:

351 Cristais de bicarbonato

Repita a atividade 350, mas use *bicarbonato de sódio* em vez de *sulfato de magnésio*.

> *Alúmen, sais de sulfato de magnésio* e *bicarbonato de sódio* dissolvem na água. À medida que a água evapora, ela os deixa para trás em forma de cristais. Quanto mais tempo você deixar o experimento acontecendo, maiores serão os cristais.

* Compre Alúmen e sais de sulfato de magnésio na farmácia.

 Alúmen e sais de sulfato de magnésio NÃO são comestíveis. Lave as mãos após tocar neles.

Como as plantas bebem

Você vai aprender a mudar a cor das flores e descobrir como as plantas absorvem água.

352 Faça flores tingidas

1. Pegue um cravo ou uma gérbera branca. Remova as folhas e deixe fora da água por uma hora.

2. Ponha água num copo, adicione duas colheres de corante alimentar amarelo e misture bem.

Corte o caule em ângulo.

3. Corte o caule da flor e coloque-a na água com corante.

4. Deixe a flor por um dia na mistura. Qual a sua cor?

Cravos e gérberas são as melhores flores para esta experiência, pois absorvem muita água.

Gérbera

Água e corante

Cravo

353 Tubos

Pegue as flores já tingidas da atividade 352. Corte um pedaço do caule e observe. Você consegue ver pontinhos coloridos?

Caules possuem tubos estreitos que levam a água para as pétalas. Os pontos coloridos que você consegue ver dentro do caule são estes tubinhos.

354 Água é vida

Para ver como a água é importante, deixe sua flor sem ela por algumas horas.

Plantas precisam de água para continuarem saudáveis. Sem água, flores cortadas murcham e morrem.

Água e corante azul

355 Cores e flores

Coloque uma flor com pétalas bem coloridas em água com corante. O que acontece?

Provavelmente, você não verá muita diferença. Pois o corante não é forte o bastante para aparecer em uma flor já colorida, ao contrário de uma branca. Você pode ver melhor a mudança de cor se adicionar mais corante a água.

356 Misture

Tente tingir outros tipos de flores brancas. Funcionou?

Algumas flores como o lírio absorvem menos água do que as outras, absorvendo assim menos corante.

Lírio

357 Corrida das flores

1. Pegue duas flores brancas bem parecidas. Corte o caule de tamanhos diferentes.

2. Deixe-as no mesmo copo de água e corante. Quais delas muda de cor primeiro?

A flor com o cabo mais curto muda de cor primeiro, pois a água com corante viaja uma distância menor até chegar às pétalas.

358 Tingindo vegetais

Você também pode tentar tingir vegetais e folhas, tais como repolho, couve-chinesa ou um talo de salsão.

Os caules de vegetais e folhas possuem tubos, assim como os caules de flores. A água com corante é sugada pelos tubos e faz as folhas mudarem de cor.

Essa folha de couve-chinesa foi deixada em água com corante azul.

125

Paraquedas

Faça paraquedas e descubra como eles funcionam usando a resistência do ar.

359 Paraquedas de plástico

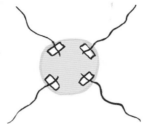

1. Ponha uma tigela grande sobre uma sacola plástica, contorne e recorte o círculo. Corte quatro barbantes do comprimento de seu braço.

2. Organize os barbantes como no desenho acima e fixe-os com fita adesiva.

3. Faça um laço com as pontas dos barbantes, e ponha um prendedor de roupas para servir de paraquedista. Solte o paraquedas do alto.

Deixe o paraquedista bem no meio do paraquedas.

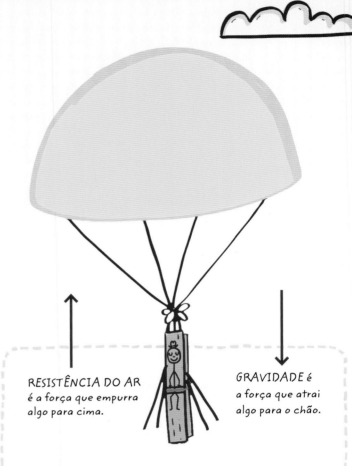

RESISTÊNCIA DO AR é a força que empurra algo para cima.

GRAVIDADE é a força que atrai algo para o chão.

À medida que o paraquedas cai, ele infla e prende o ar debaixo dele. O ar preso cria uma força chamada resistência do ar. Isso atrasa a queda.

360 Paraquedas de papel

Repita a atividade 359, mas use papel de seda em vez da sacolinha plástica.

Um paraquedas de papel de seda cai de maneira similar. O papel prende o ar, e o ar retarda a queda do paraquedas.

361 Paraquedas pequeno

Use uma tigela menor para fazer paraquedas pequenos. Compare a velocidade entre os dois tamanhos.

Um paraquedas menor cria menos resistência do ar e por isso cai mais depressa que os grandes.

126

362 Paraquedas quadrado

Faça um paraquedas quadrado de papel ou plástico. Quais as diferenças na queda?

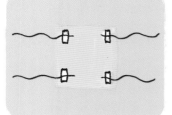

Um paraquedas quadrado cai de maneira parecida. Paraquedas podem ser feitos em diversos tamanhos e formas, desde que prendam bastante ar.

363 Peso

Remova o prendedor de roupas de um dos paraquedas e solte-o. Como ele cai sem o peso?

Sem o prendedor o paraquedas não cai tão suavemente. Ele precisa do peso para se equilibrar e ficar na vertical.

364 Paraquedas furado

Use um lápis afiado para fazer furos em um paraquedas de papel de seda. Ele cai muito rápido?

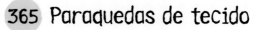

Um paraquedas furado cai mais rápido pois o ar não fica preso debaixo dele.

365 Paraquedas de tecido

Que tal fazer um paraquedas com um pano de prato ou um lenço?

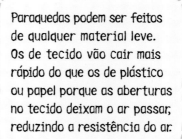

Paraquedas podem ser feitos de qualquer material leve. Os de tecido vão cair mais rápido do que os de plástico ou papel porque as aberturas no tecido deixam o ar passar, reduzindo a resistência do ar.

E se for um ano bissexto...

366 Sapo pula pula

1. Desenhe um sapo em uma cartolina e recorte. Capriche no colorido. Em seguida, fixe-o com fita adesiva na lateral de um copo plástico.

2. Estique dois elásticos em volta de uma tigela.

3. Pressione o copo nos elásticos e solte. Veja o sapo pular! Faça outros sapos e desafie seus amigos para uma competição de salto a distância.

> Ao pressionar os elásticos, eles esticam e armazenam energia. Quando você os solta a energia é liberada, e o sapo voa pelos ares.

Editado por Rosie Dickins, Jane Chisholm e Kirsteen Robson;
Design adicional e ilustração: Sam Chandler e Erica Harrison;
Fotografia de Howard Allman;

Fotografia adicional: p.18 © Buena Vista Images/Getty Images; p.47 © D. Hurst/Alamy; p.55 © Joseph Clark/Getty Images; p.73 © Radius Images/Alamy; p.79 © Ocean/Corbis; p.90 © Bon Appetit/Alamy.